DGB-Bundesvorstand (Hrsg.)
111 Tipps zu Arbeitslosengeld II und Sozialgeld

DGB-Bundesvorstand (Hrsg.)

111 Tipps zu Arbeitslosengeld II und Sozialgeld

Mit einem Vorwort von Ursula Engelen-Kefer

Autoren:
Rolf Winkel und Hans Nakielski

Bund-Verlag

Die Tipps dieses Ratgebers sind von den Autoren sorgfältig recherchiert und vom Verlag geprüft worden. Dennoch: Eine Haftung von Autoren, Herausgebern und Verlag für Personen-, Sach- und Vermögensschäden ist ausgeschlossen.

Bibliografische Information der Deutschen Bibliothek
Die Deutsche Bibliothek verzeichnet diese Publikation in der Deutschen Nationalbibliografie; detaillierte bibliografische Daten sind im Internet über http://dnb.ddb.de abrufbar.

Geänderter Nachdruck
Stand: Februar 2005

Umschlag: Atelier Seidel, Altötting
Satz: typeXpress, Sabine Brand, Köln
Druck: MediaPrint, Paderborn
Printed in Germany 2005
ISBN 3-7663-3591-X

www.bund-verlag.de

Schnellübersicht

Vorwort

Am 1. Januar 2005 tritt Hartz IV in Kraft. Dies bedeutet die Zusammenlegung von Sozial- und Arbeitslosenhilfe zum Arbeitslosengeld II (ALG II) sowie die Verbesserung der Zusammenarbeit von Sozialämtern und Arbeitsagenturen bei der Vermittlung Langzeitarbeitsloser. Das Arbeitslosengeld II ist eine Grundsicherung. Für die Betroffenen bedeutet dies: Alles muss offen gelegt werden, nicht nur vom Antragsteller, sondern vom gesamten Haushalt und häufig auch von Angehörigen werden Angaben über ihre Einkommens- und Vermögensverhältnisse verlangt.

Finanziell werden viele Haushalte Einbußen hinnehmen müssen. Während die Arbeitslosenhilfe vom letzten Lohn abgeleitet war, orientiert sich das Arbeitslosengeld II an der Sozialhilfe. Nur in den ersten zwei Jahren nach Ende des Arbeitslosengeld-I-Bezuges wird der Übergang durch einen Zuschlag abgefedert – allerdings nicht bei allen.

Auch der Deutsche Gewerkschaftsbund hält es für richtig, die Eingliederungsbemühungen für Langzeitarbeitslose zu verbessern und unnötige Bürokratie abzubauen. Dies sind Ziele der Reform. Profitieren von Hartz IV werden die bisherigen langzeit-arbeitslosen Sozialhilfeempfänger, weil in Zukunft Sozialversicherungsbeiträge für die Kranken- und Rentenversicherung gezahlt werden und sie einen erleichterten Zugang zu arbeitsmarktpolitischen Leistungen erhalten.

Gleichzeitig wird die soziale Situation der heutigen Empfänger / innen von Arbeitslosenhilfe erheblich verschlechtert. Insbesondere Haushalte mit weiteren Einkommen wie z. B. Partnereinkommen und Renten oder Haushalte, die vorher ein hohes Einkommen hatten, werden zum Teil massive Leistungskürzungen hinnehmen müssen. Der DGB kritisiert vor allem, dass das Gesetz zu wenig Rücksicht auf die individuelle Situation und auf die Lebensleistung der Menschen nimmt. Ab dem Jahr 2006 werden nach 12-monatiger Arbeitslosigkeit (Ältere nach 18 Monaten) finanziell alle gleich (schlecht) behandelt.

Damit es nicht nur beim »Fordern« bleibt, wird der DGB darauf dringen, dass die versprochenen Verbesserungen bei der beruflichen und sozialen Integration zügig umgesetzt werden. So ist von der Politik z. B. der flächendeckende Ausbau der Kinderbetreuung zugesagt worden. Den Kommunen werden hierfür 1,5 Mrd. Euro, die sich aus Einsparungen nach diesem Gesetz ergeben, zur Verfügung gestellt. Aber auch das Personal in den Agenturen soll besser qualifiziert und die Zahl der Vermittlungsfachkräfte soll aufgestockt werden.

Für Arbeitslose, die nach längerer Beschäftigungssuche keine Arbeit finden, soll öffentlich geförderte Beschäftigung angeboten werden. Damit wird ein neuer zweiter Arbeitsmarkt eröffnet, der alle Beteiligten vor große Herausforderungen stellt. Ein Ausbau öffentlich geförderter Beschäftigung ist angesichts der Arbeitsmarktlage vertretbar, die Bedingungen müssen aber stimmen. Der DGB wird darauf dringen, dass öffentlich geförderte Beschäftigung nicht zu einem Sektor von Billig-Jobs und zu einer Gefahr für andere Arbeitsplätze wird. Öffentlich geförderte Beschäftigung muss der Integration in den ersten Arbeitsmarkt dienen. Es muss ein angemessener Lohn gezahlt werden und das Prinzip der Freiwilligkeit gelten.

Die Abschaffung der Arbeitslosenhilfe wird gravierende Auswirkungen auf die allgemeine Arbeitswelt haben. Durch die Leistungskürzungen sind Menschen immer öfter gezwungen, eine Arbeit auch zu untertariflichen Löhnen anzunehmen. Die Konkurrenz in Betrieben und Verwaltungen und der Druck auf das allgemeine Lohngefüge nehmen zu. Nur durch einen Ausbau der Tarifverträge und eine Mindestlohnregelung kann dieser Trend gestoppt werden.

Gleichzeitig fordert der DGB, dass die gesetzlichen Regelungen über die Zumutbarkeit von Arbeit nachgebessert werden. Die Verschärfung der Zumutbarkeit verschlechtert die Verhandlungsposition des Arbeitnehmers gegenüber dem Arbeitgeber. Es wird nicht mehr auf gleicher Augenhöhe verhandelt, die Arbeit Suchenden sind häufig gezwungen, die vom Arbeitgeber angebotene Vergütung zu akzeptieren – sonst wird die Sozialleistung gekürzt oder gar vollständig gestrichen.

Darüber hinaus muss in weiteren Punkten nachgebessert werden. Dies betrifft insbesondere die Anrechnung von kleinen Nebeneinkommen und die Anrechnung von Partnereinkommen auf das Leistungsniveau, die Freistellung von Vermögen, das der Alterssicherung dient, und die Verlängerung des Zuschlages für vormals langjährig Beschäftigte. Die Bundesregierung hat zugesichert, dass nach der Startphase eine kritische Bestandsaufnahme erfolgen soll und bei Vorliegen konkreter Ergebnisse auch Nachbesserungen möglich sein sollen. Hieran werden wir die Bundesregierung und die Abgeordneten des Deutschen Bundestages erinnern.

Das neue Arbeitslosengeld II führt zu einer Fülle von streitigen Rechtsfragen. Wertvolle Tipps stehen in diesem Ratgeber. Wenn es zum Rechtsstreit kommt: Mitglieder einer DGB-Gewerkschaft erhalten bei ihrer Gewerkschaft kostenlose Beratung auch in Angelegenheiten des Arbeitslosengeldes II. Falls gerichtliche Auseinandersetzungen drohen, bekommen Mitglieder nach Rücksprache mit ihrer Gewerkschaft kostenlosen Rechtsschutz. Informieren Sie sich und streiten Sie für Ihr gutes Recht!

Dr. Ursula Engelen-Kefer
Stellvertretende DGB-Vorsitzende

Inhalt

Die wichtigsten (neuen) Begriffe

Hartz IV: So wird das »Vierte Gesetz für moderne Dienstleistungen am Arbeitsmarkt« vom 24.12.2003 kurz genannt, durch das die Arbeitslosenhilfe und Sozialhilfe für Erwerbsfähige zusammengelegt werden.

SGB II: Das neue zweite Sozialgesetzbuch, das offiziell auch als Regelwerk für die »Grundsicherung für Arbeitsuchende« bezeichnet wird, ist der wichtigste Teil von Hartz IV.

ALG II: Das Arbeitslosengeld II ist die wichtigste Geldleistung des SGB II. Sie ist für Erwerbsfähige unter 65 Jahren vorgesehen, die als »bedürftig« gelten.

Sozialgeld: Das Sozialgeld ist die zweite wichtige Leistung des SGB II. Es wird an Kinder unter 15 Jahren und andere nicht erwerbsfähige Familienangehörige von ALG-II- Beziehern gezahlt (siehe Tipp 1).

Arbeitslosengeld (I): Das reguläre Arbeitslosengeld (I) ist – im Gegensatz zum ALG II – eine Versicherungsleistung. Sie gibt es nur für Erwerbslose, die über eine längere Zeit Beiträge in die Arbeitslosenversicherung eingezahlt haben. Für die meisten Arbeitslosen läuft das Arbeitslosengeld (I) nach höchstens zwölf Monaten aus. Danach gibt es – nur bei Bedürftigkeit – ALG II.

Erwerbsfähige: Als erwerbsfähig gelten diejenigen, die – gesundheitlich gesehen – mehr als drei Stunden täglich arbeiten können (siehe Tipp 2).

Pflicht zur Arbeitsaufnahme: Wer erwerbsfähig ist, für den ist nach dem SGB II auch die Aufnahme einer Erwerbsarbeit »zumutbar«. Dies gilt auch für Hausfrauen, die noch nie erwerbstätig waren oder nicht mehr erwerbstätig sind.

Bedarfsgemeinschaft: Wer allein stehend ist, stellt für sich alleine einen Antrag auf ALG II. Ansonsten werden die Leistungen nach dem SGB II für die ganze »Bedarfsgemeinschaft« beantragt. Allein Erziehende bilden mit ihren Kindern eine solche Gemeinschaft, ebenso wie Ehepartner bzw. beide Partner einer eheähnlichen Gemeinschaft und ihre Kinder (siehe Tipp 22).

Haushaltsgemeinschaft: Diese wird von der Bedarfsgemeinschaft und Verwandten gebildet, die mit dieser aus einem Topf wirtschaften. Zur Haushaltsgemeinschaft können damit beispielsweise erwachsene Kinder, Eltern oder Geschwister von ALG-II-Bezieher gehören, wenn sie mit ihnen im gemeinsamen Haushalt leben (siehe Tipp 23).

Kapitel A
Für wen Arbeitslosengeld II in Frage kommt

! Tipp 1
Wer Anspruch auf ALG II und Sozialgeld hat – ein Überblick

1

Die Arbeitslosenhilfe wird zum 31. Dezember 2004 abgeschafft. Stattdessen gibt es ab Anfang 2005 die neue so genannte »Grundsicherung für Arbeitsuchende«, die im neuen zweiten Sozialgesetzbuch geregelt ist (SGB II). Darauf haben auch Erwerbsfähige Anspruch, die bislang Sozialhilfe erhielten.
Die wichtigste Leistung des SGB II ist das so genannte **Arbeitslosengeld (ALG) II.** Es erhält nach § 7 SGB II jeder, der

- zwischen 15 und 64 Jahre alt,
- erwerbsfähig und
- hilfebedürftig ist und
- seinen gewöhnlichen Aufenthalt in der Bundesrepublik Deutschland hat.

Die genannten Voraussetzungen müssen gleichzeitig erfüllt sein. Zudem muss ein Antrag gestellt werden. Dies sollte man – wenn die Anspruchsvoraussetzungen erfüllt sind – so schnell wie möglich tun. Denn Geld vom Amt gibt es erst ab dem Tag der Antragstellung (siehe Tipp 9).
Voraussetzung für den Bezug von ALG II ist **nicht,** dass die Antragsteller die deutsche Staatsangehörigkeit haben. Dennoch gehen Ausländer unter Umständen beim ALG II leer aus – und zwar dann, wenn sie keine Arbeitserlaubnis bekommen können (siehe Tipp 6).
Voraussetzung ist auch **nicht,** dass Antragsteller arbeitslos sind, vorher das reguläre Arbeitslosengeld (I) bezogen oder Beiträge an die Arbeitslosenversicherung gezahlt haben. Die Leistung nennt sich zwar »Arbeitslosengeld II«. Sie kommt jedoch auch für Menschen in Frage, die in Lohn und Brot stehen, aber wenig verdienen und / oder eine große Familie zu versorgen haben. Insbesondere für Arbeitnehmer mit mehreren Kindern kann es sich deshalb lohnen, ALG II oder den neuen Kinderzuschlag (siehe Tipp 50) zu beantragen.
Anders als beim regulären Arbeitslosengeld (I) und der »alten« Arbeitslosenhilfe gibt es übrigens beim ALG II keine 15-Stunden-Grenze für Nebentätigkeiten. ALG II können also auch hilfebedürftige Arbeitnehmer erhalten, die 15 Stunden oder mehr in der Woche arbeiten – eine Begrenzung der Arbeitszeit nach oben hin gibt es nicht.

Was bedeutet die Altersgrenze?

Das ALG II gibt es nur für Menschen ab 15 und bis 64 Jahren. Der Anspruch erlischt grundsätzlich erst, wenn Bezieher 65 Jahre alt werden. Wer allerdings bereits über 60 ist, dem kann unter Umständen zugemutet werden, einen Antrag auf ein vorgezogenes Altersruhegeld zu stellen (siehe Tipps 97 bis 100).

Was bedeutet »hilfebedürftig«?

Das ALG II wird grundsätzlich – wie bislang die Sozialhilfe – nur an Bedürftige gezahlt, egal ob sie selbstständig, abhängig beschäftigt oder arbeitslos sind. Hilfebedürftig ist, wer seinen Unterhaltsbedarf nicht oder nicht ausreichend aus eigener Kraft sichern kann. Voraussetzung ist dabei, dass Einkommen und Vermögen bestimmte Grenzen nicht überschreiten. Wie hoch diese Grenzen sind, wie Einkommen angerechnet wird und welches Vermögen erlaubt ist, damit beschäftigen sich die Kapitel F und G dieses Buches.

Was bedeutet »erwerbsfähig?«

ALG II erhalten nur »Erwerbsfähige«. Als erwerbsfähig gilt jeder, der (noch) mindestens drei Stunden am Tage arbeiten kann. Bei der Beurteilung der Erwerbsfähigkeit kommt es allein auf gesundheitliche Aspekte an (siehe Tipp 2). ALG-II-Bezieher sind verpflichtet, ihre Arbeitskraft voll zur Sicherung ihres Lebensunterhalts einzusetzen. Im Grundsatz gilt dabei nahezu jede Arbeit als zumutbar (siehe Tipp 107). Die zuständigen Träger sollen die Hilfebedürftigen dabei mit »Hilfen zur Eingliederung« unterstützen (siehe Tipps 105 und 106).

Sozialgeld für nicht erwerbsfähige Angehörige in der »Bedarfsgemeinschaft«

Leistungen nach dem neuen SGB II können auch nicht erwerbsfähige Angehörige unter 65 Jahren erhalten, sofern sie mit ALG-II-Empfängern im gemeinsamen Haushalt leben – genauer: in einer so genannten Bedarfsgemeinschaft (siehe unten). Die Unterstützung für nicht erwerbsfähige Familienmitglieder – zumeist zählen dazu Kinder unter 15 Jahren – nennt sich allerdings nicht Arbeitslosengeld II, sondern **Sozialgeld.** Prinzipiell macht es jedoch kaum einen Unterschied, wie die Leistung heißt. Denn die Höhe von ALG II und Sozialgeld ist gleich (siehe Tipp 28). Es gibt aber folgende Unterschiede:

- Rentenversicherungsbeiträge werden nur für Bezieher von ALG II abgeführt (siehe Tipp 101).
- Für Bezieher von Sozialgeld gibt es keine Arbeitsmarkt-Leistungen der Ämter (siehe Tipp 105).
- Wer Sozialgeld bezieht, erhält keinen befristeten Zuschlag zur Leistung (siehe Tipp 47).

Die Leistungen nach dem SGB II erhalten nicht Einzelpersonen, sondern die komplette Bedarfsgemeinschaft – meist sind damit Eltern und Kinder unter 18 Jahren gemeint. Was genau unter einer Bedarfsgemeinschaft (sowie einer Wohn-, Haushalts- und eheähnlichen Gemeinschaft) zu verstehen ist, steht in Kapitel C.
Für den Antrag ist wichtig: Nur ein erwerbsfähiges, hilfebedürftiges Mitglied der Bedarfsgemeinschaft zwischen 15 und 64 Jahren kann und darf einen Antrag auf die Leistungen stellen. Sie werden dann für die gesamte Gruppe gewährt. Wer mit einem (Ehe-)Partner und / oder Kindern zusammenlebt und vorher Arbeitslosenhilfe bezo-

gen hat, muss also umdenken. Denn anders als zuvor kommt es jetzt nicht mehr nur auf die Situation des bedürftigen Erwerbslosen, sondern auf den Bedarf der gesamten Gemeinschaft an.

Für wen sich ein ALG-II-Antrag lohnen kann

Ein Antrag auf ALG II (für die gesamte Bedarfsgemeinschaft) kann insbesondere für folgende Personen von Interesse sein:

- Erwerbsfähige, die 2004 schon Arbeitslosen- oder Sozialhilfe erhalten haben,
- Erwerbslose, deren reguläres Arbeitslosengeld (I) demnächst ausläuft,
- Erwerbslose, deren Anspruch auf das Arbeitslosengeld (I) so niedrig ist, dass ihnen »aufstockendes« ALG II zusteht (siehe Tipp 5),
- Erwerbslose, deren bisherige Anträge auf Arbeitslosen- oder Sozialhilfe wegen zu hohem (Alters-)Vermögen abgelehnt wurden (siehe Tipp 52),
- Erwerbsfähige ohne Job, die bisher weder Arbeitslosen- noch Sozialhilfe beantragt oder bezogen haben,
- Arbeitnehmer (siehe Tipp 3) oder Selbstständige (siehe Tipp 4), die so wenig verdienen, dass ihnen zum Lebensunterhalt »aufstockendes« ALG II gezahlt werden muss,
- Allein Erziehende, die wegen ihrer (kleinen) Kinder keine Erwerbstätigkeit aufnehmen konnten bzw. können.

Arbeitslosen, deren Arbeitslosengeld (I) ausläuft oder die bis Ende 2004 Arbeitslosenhilfe bezogen haben, wird ein Antrag auf ALG II automatisch zugesandt. Auch bisherige Sozialhilfeempfänger, von denen die Ämter wussten, dass sie erwerbsfähig sind, wurden über das Antragsverfahren informiert. Alle anderen oben genannten Gruppen müssen sich aber die Antragsformulare selbst bei den zuständigen Behörden (siehe Tipp 8) besorgen.

! Tipp 2
ALG II gibt's nur für Erwerbsfähige

Dazu zählen auch Schüler ab 15 und allein Erziehende mit Kleinkindern

Das ALG II steht nur Erwerbsfähigen zu (siehe Tipp 1). Wer dazu gehört, erläutert das Gesetz so: »Erwerbsfähig ist, wer nicht wegen Krankheit oder Behinderung auf absehbare Zeit außerstande ist, unter den üblichen Bedingungen des allgemeinen Arbeitsmarktes mindestens drei Stunden täglich erwerbstätig zu sein.«

Wer gilt nach dem Gesetz als nicht erwerbsfähig?
Das sind – im Umkehrschluss zum Gesetzestext – Personen, die wegen Krankheit oder Behinderung auf absehbare Zeit außerstande sind, unter den üblichen Bedingungen des allgemeinen Arbeitsmarktes mindestens drei Stunden täglich erwerbstätig zu sein.

Können auch Erwerbsunfähigkeitsrentner ALG II beziehen?
Grundsätzlich ja. Dies gilt allerdings nur, wenn die Betroffenen Rente wegen teilweiser Erwerbsminderung erhalten. Diese kann beziehen, wer aus gesundheitlichen Gründen auf dem allgemeinen Arbeitsmarkt täglich mindestens drei, aber keine sechs Stunden lang tätig sein kann. Damit kann von ihnen zumindest die »Drei-Stunden-Grenze«, die das SGB II setzt, erreicht werden. Die Betroffenen können damit – soweit sie bedürftig sind – zusätzlich zu ihrer Rente wegen teilweiser Erwerbsminderung auch ALG II erhalten. Wer eine Rente wegen voller Erwerbsminderung bekommt, hat dagegen keinen Anspruch auf ALG II. Denn diese Rente erhält nur, wer weniger als drei Stunden täglich erwerbstätig sein kann.

Diese Voll-Erwerbsunfähigen können aber gegebenenfalls zusätzlich zu ihrer Rente noch Sozialhilfe (nach dem ebenfalls neuen zwölften Sozialgesetzbuch – SGB XII) bekommen. Diese Leistung gibt es für Bedürftige, die nicht erwerbsfähig sind.

Spielt es bei der Antrags-Beurteilung eine Rolle, ob jemand bereits erwerbstätig ist?
Nein. Es kommt nur auf die Erwerbsfähigkeit an. Ob Sie derzeit einen (Mini-)Job haben oder nicht, spielt keine Rolle.

Was ist bei kurzfristiger Krankheit?
Nicht von Bedeutung für die Bewilligung von ALG II ist, wenn Sie derzeit krank sind. Ausnahme: Wenn davon auszugehen ist, dass Sie länger als sechs Monate wegen Krankheit ausfallen, gelten Sie als nicht erwerbsfähig und haben ggf. Anspruch auf Sozialhilfe statt auf ALG II. Ihre (absehbare) Erwerbsfähigkeit müssen Sie zunächst selbst einschätzen – per »Kreuzchen« im Antrag auf ALG II.

Gelten auch Schüler über 15 Jahren als erwerbsfähig?
Ja. Es kommt auch bei ihnen nur darauf an, ob sie – gesundheitlich gesehen – mindestens drei Stunden täglich erwerbstätig sein könnten. Das bedeutet nicht etwa, dass von den Betroffenen verlangt wird, dass sie die Schule verlassen, um arbeiten zu gehen. Die Aufnahme einer Erwerbstätigkeit ist für sie in der Regel nicht zumutbar.

Zählen auch allein Erziehende zu den Erwerbsfähigen?
Hier gilt dasselbe wie für Schüler. Grundsätzlich zählen sie als erwerbsfähig, wenn nicht gesundheitliche Gründe dagegen sprechen. Für viele allein Erziehende bringt diese Einstufung sogar gewisse Vorteile – etwa weil dann Beiträge an die Rentenversicherung abgeführt werden (siehe Tipp 101). Wichtig für hilfebedürftige Eltern ist: Allein erziehenden Müttern oder Vätern mit Kindern unter drei Jahren kann – selbst nach den verschärften Bestimmungen – die Aufnahme einer Arbeit nicht zugemutet werden (siehe Tipp 107).

Was ist, wenn ein Ehepartner möglicherweise jahrelang gar nicht gearbeitet, sondern sich zum Beispiel um die Kinder gekümmert hat?
Auch dieser Partner gilt als erwerbsfähig und erhält bei Bedürftigkeit ALG II. Das hat aber zur Folge, dass auch für ihn die harten Regelungen zur Arbeitspflicht und zur Zumutbarkeit gelten, die das Gesetz enthält (siehe Tipp 107). Demnach können jetzt auch die mit Arbeitslosen zusammenlebenden (Ehe-)Partner zur Aufnahme einer Erwerbstätigkeit gezwungen werden, die zuletzt nicht berufstätig waren und auch

keine Arbeit aufnehmen möchten. Nur wer sich um Kinder unter drei Jahren oder um pflegebedürftige Angehörige kümmert, die auf andere Weise nicht versorgt werden können, darf nach dem Gesetz eine Arbeitsaufnahme ablehnen (siehe Tipp 107).

Wer entscheidet über die Erwerbsfähigkeit, wenn Zweifel daran bestehen?
Die Entscheidung, ob ein ALG-II-Bezieher erwerbsfähig ist, treffen zunächst die zuständigen Behörden, also zumeist die Job-Center (siehe Tipp 8). Falls die Betroffenen als nicht erwerbsfähig gelten, haben sie gegebenenfalls Anspruch auf Sozialhilfe nach dem SGB XII und / oder auf eine (Erwerbsunfähigkeits-)Rente. Wenn sich die Ämter darüber streiten, wer zuständig ist und zahlen muss, entscheidet eine Einigungsstelle, der Vertreter der beteiligten Leistungsträger angehören.

Gibt es ALG II, bis die Einigungsstelle entschieden hat?
Ja. Das SGB II sieht eindeutig vor, dass bis zu einer Entscheidung der Einigungsstelle »Leistungen der Grundsicherung für Arbeitssuchende« zu erbringen sind. Dies bestimmt § 44 a SGB II.

Bei gesundheitlichen Problemen beraten lassen

Wenn Sie gesundheitlich erheblich angeschlagen sind, sollten Sie mit Ihrem Hausarzt oder Ihrer Ärztin die Situation erörtern. Wenn eine Rente wegen voller Erwerbsunfähigkeit in Frage kommt, sollten Sie sich umgehend an eine der bundesweit 414 Servicestellen für Rehabilitation zu wenden. Diese Servicestellen gibt es in jedem Landkreis und jeder kreisfreien Stadt. Die Adressen erfährt man bei der Kranken- oder Rentenversicherung oder im Internet unter: www.bfa.de (Rehabilitation anklicken).
Einen Antrag auf Rente wegen teilweiser Erwerbsminderung können Sie auch als ALG-II-Bezieher stellen, da sich beide Leistungen nicht gegenseitig ausschließen. Eine Bewilligung dieser Rente müssen Sie allerdings dem Amt, das für das ALG II zuständig ist, umgehend mitteilen, weil dann geprüft wird, ob Sie trotz dieser Rente weiterhin »bedürftig« sind.

!

Tipp 3

Wenn der Verdienst nicht reicht:

ALG II gibt's auch für Erwerbstätige – vor allem für Familien mit Kindern

Sie sind erwerbstätig, kommen aber kaum mit Ihrem Verdienst hin? Das Minus auf Ihrem Konto wächst von Monat zu Monat? Zu Hause reden Sie schon darüber, ob Sie sich noch Obst für Ihre Kinder leisten können? Dann sollten Sie in jedem Fall überprüfen, ob Sie Anspruch auf ALG II haben. Denn diese Leistung gibt es nicht nur für Arbeitslose, sondern auch für Arbeitnehmer, deren Einkommen nicht zur Deckung ihres eigenen Bedarfs – und desjenigen ihrer Familie – ausreicht. Die zuständigen Ämter müssen in diesen Fällen das Einkommen »aufstocken«. Sie erhalten dann »aufstockendes Arbeitslosengeld II« – so wie es bis Ende 2004 auch für Erwerbstätige »aufstockende Sozialhilfe« gab.

Beispielrechnung für eine vierköpfige Familie

Ein *Beispiel:* Eine Arbeitnehmerfamilie, die in den alten Bundesländern lebt, hat zwei Kinder unter 14 Jahren. Sie lebt von dem Erwerbseinkommen eines Ehepartners in Höhe von brutto 1600 € monatlich. Dem entspricht bei zwei Kinderfreibeträgen und einem Krankenversicherungsbeitrag von 13,8 Prozent ein Nettogehalt in Höhe von 1268 €. Dieser Nettoverdienst wird beim Arbeitslosengeld II nicht voll angerechnet. Einen Teil davon darf die Familie zusätzlich zum ALG II erhalten. Unter Berücksichtigung aller Freibeträge, die dem Arbeitnehmer zustehen, zählen davon in diesem Fall 908,39 € als anrechenbares Einkommen. Demnach können 359,61 € vom Einkommen abgesetzt werden. Wie das funktioniert, können Sie in Tipp 86 nachlesen. Zudem erhält die Familie 308 € Kindergeld, was ebenfalls beim ALG II angerechnet wird. Insgesamt kommt sie damit auf ein anrechenbares Einkommen in Höhe von 1216,39 €.
Dem steht folgender Bedarf gegenüber: Der in Westdeutschland lebenden Familie stehen Regelsätze in Höhe von insgesamt 1036 € zu (siehe Tipp 28). Zudem muss die zuständige Behörde zunächst in jedem Fall die volle Warmmiete als Bedarf anerkennen (siehe Tipp 33). Diese beträgt 570 €. Insgesamt liegt der Grundbedarf der Familie nach dem SGB II damit bei 1606 €. Das ist mehr, als sie an anrechenbarem Einkommen (1216,39 €) hat. Die Familie hat damit einen monatlichen ALG-II-Anspruch in Höhe von (1606 minus 1216,39 =) 389,61 €.

3

Kinderzuschlag beantragen

In vielen Fällen steht bedürftigen Familien mit Erwerbstätigen allerdings kein ALG II zu, sondern stattdessen der – ebenfalls zum 1. Januar 2005 neu eingeführte – Kinderzuschlag nach dem Kindergeldgesetz. Welche der beiden Leistungen in Frage kommt, können häufig nur Mathematiker entscheiden. *Tipp:* Gerade Arbeitnehmer mit mehreren Kindern sollten sicherheitshalber jeweils nach dem Motto verfahren: Doppelt genäht hält besser. Sie sollten deshalb am besten zwei Anträge stellen. Einen Antrag auf ALG II beim zuständigen Träger vor Ort (siehe Tipp 8) und einen Antrag auf den Kinderzuschlag bei der Familienkasse der Arbeitsagentur. Dabei sollten sie jeweils darauf hinweisen, dass sie auch die andere Leistung beantragt haben. Mehr Informationen zum Kinderzuschlag finden Sie in Tipps 50 und 51.

ALG-II-Schwelle liegt je nach Kinderzahl zwischen 1625 und 2140 €

Der folgenden Tabelle können Sie entnehmen, bis zu welchem Netto-Einkommen es sich für Paare mit Kindern und einem Verdiener lohnen kann, einen Antrag auf ALG II zu stellen. Die angegebenen Zahlen basieren auf Beispielrechnungen für Haushalte mit Kindern unter 14 Jahren und Beträgen von 380 €, die vom Netto-Einkommen abgesetzt werden können (siehe Tipps 83 bis 89). Bei Haushalten mit älteren Kindern, anderen Absetzbeträgen oder anderen Wohn- und Heizkosten kann die Schwelle deshalb etwas höher oder niedriger liegen.
Die Tabelle macht deutlich: Je mehr Kinder im Haushalt sind, je niedriger das Einkommen und je höher die Miete ist, desto höher ist die Schwelle, bis zu der es noch ALG II geben könnte.

Bis zu welchem Netto-Einkommen* kann sich für Haushalte mit einem Erwerbstätigen ein Antrag auf Arbeitslosengeld II lohnen?**

	Alte Bundesländer	Neue Bundesländer	Angenommene Kaltmiete***
Ehepaar mit			
... einem Kind	1650 €	1610 €	480 €
... zwei Kindern	1820 €	1780 €	576 €
... drei Kindern	1990 €	1940 €	672 €
... vier Kindern	2140 €	2080 €	768 €

* Als Absetzbetrag vom Erwerbseinkommen wurden hier 380 € unterstellt. Berücksichtigt sind dabei Kfz-Versicherung, Beitrag zur Riester-Rente, Werbungskostenpauschbetrag, Monatskarte öffentliche Verkehrsmittel und der Freibetrag bei Erwerbstätigkeit.

** Annahme: Der Haushalt hat nur einen Erwerbstätigen und bezieht neben seinem Verdienst Kindergeld; die Kinder sind durchweg jünger als 14.

*** Als Miete wurde der Betrag angenommen, der in Düsseldorf bei Neu-Anmietungen von Wohnungen durch ALG-II-Bezieher als angemessen gilt. Für Wohnungen, in denen ALG-II-Bezieher bereits vor Beginn des Leistungsbezugs lebten, gelten höhere Werte. Als Heizkosten wurden entsprechend den als »angemessen« geltenden Wohnungsgrößen (siehe Tipp 33) monatlich pauschal 1,50 € pro Quadratmeter unterstellt.

Checkliste
Wenn Sie erwerbstätig sind, haben Sie möglicherweise Anspruch auf ALG II, wenn:

- Ihr Arbeitseinkommen unterdurchschnittlich ist,
- Sie mehrere Kinder haben,
- Sie eine hohe Miete zahlen oder hohe Zinsbelastungen für Ihr Eigenheim haben,
- Ihr (Ehe-)Partner nur wenig oder gar nichts verdient,
- Sie regelmäßig zu Ihrer Arbeit pendeln müssen und hohe Fahrtkosten haben.

! Tipp 4
ALG II kommt auch für Selbstständige in Frage

Gewerbe muss nicht abgemeldet werden

Das neue Arbeitslosengeld II ist keine Versicherungsleistung, auf die man erst durch sozialversicherte Beschäftigungsverhältnisse einen Anspruch erwerben muss. ALG II ist eine staatliche Leistung, die bei »Bedürftigkeit« gezahlt wird. Damit kommt sie – anders als früher die Arbeitslosenhilfe – auch für Selbstständige in Frage, die zu wenig zum Leben haben.

Besonders wichtig: Kein Selbstständiger muss vor dem Antrag auf ALG II sein Gewerbe abmelden. Die Tätigkeit als Selbstständiger kann während des Bezugs von ALG II weitergeführt werden – ohne jede Einschränkung.
ALG II kommt auch für vormals arbeitslose Existenzgründer in Frage, die von der Arbeitsagentur den so genannten Existenzgründungszuschuss für eine Ich-AG erhalten. Den Zuschuss können die Gründer während des Bezugs von ALG II weiterhin bekommen – so lange sie selbstständig tätig sind. Er wird allerdings als Einkommen beim ALG II angerechnet. Der Existenzgründungszuschuss kann allerdings nur beantragen werden, so lange man noch Anspruch auf das reguläre Arbeitslosengeld (I) hat. Für ALG-II-Bezieher, die sich selbstständig machen möchten, kommt allenfalls ein so genanntes Einstiegsgeld in Frage (siehe Tipp 106).

Tipp 5

Für Bezieher von Arbeitslosengeld (I):

ALG II kann das ALG (I) aufstocken

Wenn Sie arbeitslos sind und das »normale« Arbeitslosengeld (I) erhalten, sollten Sie prüfen, ob Sie zusätzlich vielleicht noch Anspruch auf ALG II haben. Vor 2005 konnten Arbeitslose neben Arbeitslosengeld (I) die so genannte aufstockende Sozialhilfe erhalten. Nun kommt statt dieser Hilfe – bei Bedürftigkeit – das ALG II in Frage.
Das gilt für Arbeitslose, deren Arbeitslosengeld (I) nicht zur Deckung ihres Bedarfs nach den Maßstäben des Zweiten Sozialgesetzbuchs ausreicht. Dies kommt deshalb besonders für Arbeitslose in Frage, die nur einen niedrigen ALG-(I)-Anspruch erworben haben, manchmal aber auch (noch) für Arbeitslose, der monatliche 700 € oder mehr Arbeitslosengeld erhalten. Wichtig ist dabei: Nicht das volle Arbeitslosengeld (I) zählt als anrechenbares Einkommen für das ALG II.
Dazu ein *Beispiel:* Ein allein Stehender erhält ein Arbeitslosengeld (I) in Höhe von 700 €. Davon kann er einen 30-Euro-Pauschbetrag für angemessene Versicherungen sowie die Kfz-Versicherung für sein Auto absetzen, für die er monatlich 50 € zahlt. Auch die Zahlungen zu seinem Riester-Rentenvertrag, die sich auf den Monat umgerechnet auf 20 € belaufen, kann er vom ALG (I) abziehen. Insgesamt hat er damit nur ein anrechenbares Einkommen in Höhe von 600 € (siehe dazu Tipps 80 und 82).
Dem steht folgender Bedarf nach dem SGB II gegenüber: Der Regelbedarf des allein Stehenden, der in den alten Bundesländern lebt, beträgt 345 € (siehe Tipp 28). Er entrichtet eine monatliche Warmmiete von 315 €. Insgesamt kommt er damit auf einen Bedarf in Höhe von 660 €. Dieser ist genau um 60 € höher als das anrechenbare Einkommen. Daher hat der Bezieher von Arbeitslosengeld (I) noch einen Anspruch auf 60 € aufstockendes ALG II.

Tipp 6
ALG II gibt es auch für Migranten

Vorsicht bei befristeter Aufenthaltserlaubnis

Generell können auch Migranten, die in Deutschland ihren »gewöhnlichen Aufenthalt« (§ 7 SGB II) haben, ALG II erhalten. Es gibt allerdings Ausnahmen.

6

Wovon hängt es ab, ob Ausländer ALG II beanspruchen können?
Natürlich müssen sie zunächst alle anderen Voraussetzungen erfüllen, die auch für Deutsche gelten (siehe Tipp 1). Darüber hinaus gilt: Die Arbeitserlaubnis ist Voraussetzung für den ALG-II-Anspruch. Das SGB II bestimmt nämlich für Migranten: Sie »können nur erwerbstätig sein, wenn ihnen die Aufnahme einer Beschäftigung erlaubt ist oder erlaubt werden könnte«. Durch diese Bestimmung sind Ausländer, denen die Aufnahme einer Beschäftigung nach dem Arbeitserlaubnisrecht nicht gestattet wird, vom Bezug von ALG II ausgeschlossen.

Was gilt für die bereits länger in Deutschland lebenden Migranten?
Soweit die Betroffenen mindestens eine befristete Aufenthaltsgenehmigung und eine Arbeitserlaubnis haben, können sie ALG II beanspruchen.

Was gilt für Asylbewerber?
Ausgeschlossen von SGB-II-Leistungen sind Ausländer, die Leistungen nach dem Asylbewerberleistungsgesetz beziehen.

Kann der Bezug von ALG-II-Leistungen für die Betroffenen ausländerrechtliche Konsequenzen haben?
Für diejenigen, die bereits 2004 eine unbefristete Aufenthaltserlaubnis oder ab 2005 nach dem neuen Zuwanderungsgesetz eine so genannte Niederlassungserlaubnis haben, kann es keinesfalls Konsequenzen haben. Probleme kann es aber für diejenigen geben, deren Aufenthaltserlaubnis befristet ist. Grundsätzlich kann der Bezug von ALG II – wie bislang der Bezug von Sozialhilfe – dazu führen, dass eine befristete Aufenthaltserlaubnis nicht verlängert wird, und somit letztlich »aufenthaltsbeendende Maßnahmen« zur Folge haben. Selbst wenn es nicht so weit kommt, können immerhin die Möglichkeiten des Familiennachzugs eingeschränkt werden.

Was sollten betroffene Migranten möglichst noch vor Inkrafttreten des Zuwanderungsgesetzes im Januar 2005 tun?
Aktiv werden sollten vor allem diejenigen, die schon länger als fünf Jahre rechtmäßig in Deutschland leben, aber noch immer nur eine befristete Aufenthaltserlaubnis besitzen. Sie sollten – auch dann wenn die befristete Aufenthaltserlaubnis noch nicht abgelaufen ist (!) – bei ihrer Ausländerbehörde eine unbefristete Aufenthaltserlaubnis beantragen. Diese wird auch dann ausgestellt, wenn die Antragsteller arbeitslos sind und noch Arbeitslosenhilfe beziehen. Wenn Anträge noch im Jahr 2004 gestellt werden, müssen sie auch Anfang 2005 noch nach dem alten Recht bearbeitet und genehmigt werden.

Wo können sich betroffene Migranten beraten lassen?
Migranten, die keine Niederlassungserlaubnis besitzen, sollten sich – vor allem, wenn sie nicht aus einem EU-Mitgliedsland kommen – immer von kompetenter Seite beraten lassen, bevor sie ALG II beantragen – am besten bei einem Sozialdienst für Migranten (Türken beispielsweise bei der Arbeiterwohlfahrt). Diese Dienste nennen sich inzwischen vielfach auch »Internationale Beratungsstellen«. Zum Beratungstermin sollten sie möglichst alle Unterlagen mitbringen, die ihre Arbeits- und Aufenthaltserlaubnis betreffen.

6

Erleichterter Arbeitsmarktzugang von bereits in Deutschland lebenden Ausländern

Das Bundeskabinett hat am 3. November 2004 eine Verordnung verabschiedet, die den Arbeitsmarktzugang von bereits in Deutschland lebenden Ausländern und Verfahrensfragen zur Zulassung von Ausländern zum Arbeitsmarkt regelt. Diese tritt zum 1. Januar 2005 gemeinsam mit dem neuen Zuwanderungsrecht in Kraft. Sie trifft insbesondere folgende wichtige Regelungen:

- Bei Ausländern, die bereits seit drei Jahren rechtmäßig eine versicherungspflichtige Beschäftigung ausüben oder sich bereits seit vier Jahren legal in Deutschland aufhalten, entfällt die so genannte Vorrangprüfung, nach der freie Arbeitsplätze vorrangig Deutschen und EU-Bürgern angeboten werden müssen.
- »Geduldeten Ausländern« kann nach einem Jahr rechtmäßigen Aufenthalts in Deutschland der Zugang zum deutschen Arbeitsmarkt eröffnet werden, wenn Deutsche oder EU-Bürger für die Beschäftigung nicht zur Verfügung stehen.
- Ausländer, die vor Vollendung ihres 18. Lebensjahrs nach Deutschland eingereist sind, können eine Berufsausbildung und Beschäftigung aufnehmen, wenn sie in Deutschland einen Schulabschluss erworben oder an einer Berufsausbildungsvorbereitung erfolgreich teilgenommen haben.

Die Verfahrensregelungen der Verordnung gelten auch für die Zulassung von neu einreisenden Ausländern zum Arbeitsmarkt. Sie regeln insbesondere für die Agenturen für Arbeit die Durchführung des »one-stop-government-Verfahrens« des neuen Zuwanderungsrechts, bei dem in der Regel nur noch ein Bescheid in Form einer Aufenthaltserlaubnis mit Zustimmung der Arbeitsverwaltung erteilt wird.

Kapitel B
Vor und nach der Antragstellung: Auf was Sie achten sollten

Tipp 7
Was Sie noch rechtzeitig vor dem ALG-II-Antrag regeln sollten

7

Arbeitslosengeld (I) wird schon heute in vielen Fällen nur höchstens zwölf Monate lang gezahlt. Ab Februar 2006 gilt das sogar durchweg – zumindest für Arbeitslose, die noch nicht 55 Jahre alt sind. Wenn Sie befürchten, dass Sie während der kurzen Zeit des Bezugs von Arbeitslosengeld (I) keine Arbeit finden, sollten Sie sich rechtzeitig darauf einstellen, dass Sie ALG II beantragen müssen.
Ehe Sie diese Leistung beantragen, sollten Sie aber zunächst einige persönliche und finanzielle Dinge klären und regeln. Denn dann könnte Ihr künftiges ALG II höher ausfallen oder überhaupt erst ein Anspruch auf die staatliche Unterstützung entstehen.

Persönliche (Wohn-)Verhältnisse klären

Wenn ein Paar ohne Trauschein zusammenlebt, unterstellen die Ämter häufig, dass eine eheähnliche Gemeinschaft (siehe Tipp 25) besteht – und berücksichtigen auch das Einkommen und Vermögen des Mitbewohners.
Falls Sie Ihre Beziehung aber nicht so wie eine Ehe ansehen, sollten Sie den Ämtern keine Indizien für eine eheähnliche Gemeinschaft liefern. Sie sollten keine gemeinsamen Konten einrichten und sich nicht gegenseitig die Bezugsberechtigung über Ihre Konten geben. Sinnvoll ist es, gegebenenfalls einen Untermietvertrag mit Ihrem Mitbewohner oder Ihrer Mitbewohnerin abzuschließen (siehe Tipp 37). Falls Sie allerdings gemeinsame Kinder haben und schon drei Jahre oder länger zusammenleben, gilt Ihre Beziehung in der Regel als »eheähnlich« (siehe Tipp 25).
Wer zwar mit Verwandten unter einem Dach wohnt, mit diesen aber nicht »aus einem Topf« wirtschaftet, sollte ebenfalls prüfen, ob er mit diesen einen Untermietvertrag abschließen kann. Normalerweise unterstellt das Amt nämlich, dass sich Haushaltsangehörige, die nicht zur Bedarfsgemeinschaft zählen, an der Miete beteiligen. Falls Sie als (Ehe-)Paar beispielsweise mit Ihrem volljährigen Sohn zusammenleben, wird unterstellt, dass sich Ihr Sohn mit einem Drittel an der Miete beteiligt. Das Amt kürzt deshalb die Unterkunftskosten, die es Ihnen überweist, entsprechend. Ist per Vertrag allerdings ein kostenloses Wohnen vereinbart, so wird auch dies akzeptiert – vorausgesetzt Ihre Miete gilt dann noch als »angemessen«. Die Vermutung vom Amt, dass Ihr Sohn oder andere Verwandte, die mit Ihnen zusammenleben, Sie finanziell unterstützen, können Sie entkräften, wenn Sie ausdrücklich schriftlich erklären, dass dies gerade nicht der Fall ist (siehe Tipp 24).

Achtung: Immer wieder passiert es, dass Menschen in einer Wohnung oder in einem Haus gemeldet sind, die dort längst nicht mehr leben. Falls das so ist, sollten sich die Betroffenen vor Ihrem Antrag auf ALG II abmelden – sonst gibt es später unangenehme Rückfragen vom Amt.

Wohngeldantrag stellen

Dieser Tipp betrifft nur Bezieher von Arbeitslosengeld (I). Diese haben weit häufiger Anspruch auf Wohngeld als viele denken. Wenn sie befürchten, demnächst auf ALG
7 II angewiesen zu sein, kann es sich für sie gleich doppelt lohnen, den staatlichen Mietzuschuss zu beantragen: Denn das Wohngeld bessert nicht nur aktuell ihre Haushaltskasse auf, sondern es wirkt sich auch positiv auf das ALG II aus. Für diejenigen, die vorher ALG (I) bezogen haben, gibt es nämlich häufig einen Zuschlag zum ALG II, dessen Höhe auch vom Wohngeld abhängig ist. Dieser Zuschlag wird nämlich nur dann gezahlt, wenn das ALG II niedriger ist als das zuletzt bezogene reguläre Arbeitslosengeld (I) und das Wohngeld (nach dem Bundeswohngeldgesetz) zusammen. Wenn Sie Wohngeld bezogen haben, bekommen Sie damit einen höheren Zuschlag. Das Gleiche gilt übrigens auch, wenn Eigenheimbesitzer den so genannten Lastenzuschuss erhalten haben. Mehr dazu finden Sie in Tipp 47.

Nebenjob checken

Unter Umständen gefährdet ein Mini-Job, den Sie am Ende des Bezugs von Arbeitslosengeld (I) ausüben, Ihren Anspruch auf den Zuschlag zum ALG II. In diesem Fall kann es sich anbieten, den Mini-Job »herunterzufahren«. Wann das sinnvoll sein kann, können Sie in Tipp 48 nachlesen. In wenigen Fällen wird es auch möglich sein, darüber zu verhandeln, ob der Job in eine besser bezahlte (Vollzeit-)Stelle umgewandelt werden kann. Dann erübrigt sich vielleicht auch der Antrag auf ALG II.

Frühzeitig Vermögenslage klären

Wer bei Antragstellung größere anrechenbare Rücklagen hat, wird kein ALG II oder Sozialgeld bekommen. Deshalb sollten Sie frühzeitig checken, ob sich Ihr Vermögen im Rahmen des Erlaubten bewegt – dabei helfen Ihnen die Tipps aus Kapitel F dieses Buches. Gegebenenfalls können Sie zu hohe Ersparnisse vor dem Antrag auf ALG II umschichten bzw. ausgeben. Dies ist erlaubt, so lange man das Geld nicht verschleudert oder verschenkt (siehe Tipp 69).

Schulden zurückzahlen

Wenn Sie nicht nur Rücklagen, sondern auch »Miese« haben, sollten Sie zunächst die Schulden tilgen – sonst gelten Sie in der Vermögensbilanz der Ämter als reicher als Sie tatsächlich sind. Denn Guthaben und Schulden werden nicht gegeneinander aufgerechnet (siehe Tipps 70 und 71).

Kindersparbücher überprüfen

Soweit Kinder Rücklagen von mehr als 4850 € haben, erhalten sie zunächst keine Leistungen nach dem SGB II. Ein Umschreiben der Gelder auf die Eltern löst das Problem nicht, wohl aber die Investition der überschüssigen Ersparnisse in sinnvolle Dinge und Projekte: Zum Beispiel den Kauf neuer Möbel oder eines Computers oder einen Sprachurlaub in England (siehe Tipps 56 und 69).

Wohneigentum erwerben

7

Wenn Sie relativ viel »auf der hohen Kante« haben und bislang zur Miete wohnen, sollten Sie ernsthaft prüfen, ob das Geld für den Erwerb einer Eigentumswohnung oder eines kleinen Häuschen reicht. Denn »angemessenes« Wohneigentum, das selbst bewohnt wird, ist vor einer Verwertung geschützt. Wenn Sie bereits Wohneigentum besitzen, und demnächst größere Investitionen anstehen – etwa der Kauf eines neuen Heizkessels oder der Einbau neuer Fenster –, können Sie diese gegebenenfalls vorziehen (siehe Tipp 69).

Lebensversicherungsverträge ändern

Für Rücklagen, die eindeutig für die Altersvorsorge vorgesehen sind, gibt es beim ALG II einen zusätzlicher Freibetrag von 200 € pro Lebensjahr – sowohl für den Antragsteller als auch für seinen (Ehe-)Partner. Dieser Zusatzfreibetrag wird aber nur dann gewährt, wenn Sie an das Ersparte erst im Rentenalter herankommen können. Für viele kommt es deshalb jetzt darauf an, mit ihrer Versicherungsgesellschaft einen teilweisen Verwertungs-Ausschluss bis zur Höhe von 200 € pro Lebensjahr vor dem Ruhestand zu vereinbaren. Eine solche Vereinbarung ist nach dem Versicherungsvertragsgesetz möglich (siehe Tipp 55).

Selbstständig machen

Wer sich selbstständig machen will, sollte dies tun, solange er noch das reguläre Arbeitslosengeld (I) bezieht. Denn dann hat er sowohl einen Rechtsanspruch auf den Existenzgründungszuschuss für eine »Ich-AG« oder – alternativ dazu – das Überbrückungsgeld von der Arbeitsagentur. Für Empfänger von ALG II gibt es beide Leistungen nicht mehr (siehe Tipps 105 und 106).

Riester-Vertrag abschließen

ALG-II-Bezieher können ihre Beiträge zur Riester-Rente von ihrem anrechenbaren Einkommen absetzen. Falls Sie anrechenbare Einkünfte haben – das können auch Unterhaltszahlungen sein – lohnt es sich für Sie daher in jedem Fall, einen Riester-Vertrag abzuschließen, sofern sie noch keinen haben (siehe Tipp 80). Falls Sie später den Vertrag zeitweise nicht bedienen können, haben Sie immer noch die Möglichkeit, diesen ruhen zu lassen.

Kindergeld an erwachsenes Kind überweisen lassen

Falls Sie für ein volljähriges Kind Kindergeld erhalten, sollten Sie die Familienkasse der Arbeitsagentur anweisen, das Geld direkt auf das Konto Ihrer Tochter oder Ihres Sohns zu überweisen. Andernfalls zählt das Kindergeld zu Ihren anrechenbaren Einkünften – und vermindert somit das ausgezahlte ALG II (siehe Tipp 76).

Steuerklärung schnell abgeben

Falls Sie vom Finanzamt eine Steuererstattung erwarten, sollten Sie Ihre Steuererklärung (für das letzte Jahr) schnell abgeben. Denn eine Rückzahlung vom Finanzamt, die bei Ihnen in der Zeit nach Ihrem Antrag auf ALG II eingeht, erhöht Ihr anrechenbares Einkommen. Sie erhalten dann gegebenenfalls eine Zeit lang keine oder erheblich weniger »Stütze« vom Amt (siehe Tipp 77).

Antrag möglicherweise verschieben

Alle Einnahmen, die Ihnen ab dem Monat zufließen, in dem Sie den Antrag auf ALG II gestellt haben (siehe Tipp 77), zählen als anrechenbare Einkünfte. Gegebenenfalls – beispielsweise wenn Sie gerade mit der Überweisung der Eigenheimzulage oder mit einer Lohnnachzahlung Ihres Arbeitgebers rechnen – kann es sich deshalb anbieten, den Antrag auf ALG II um einen Monat aufzuschieben. Dann bekommen Sie in diesem Monat natürlich keine »Stütze« vom Amt, dafür dann aber im nächsten.

! Tipp 8
Meist sind »Job-Center« zuständig

Wo der Antrag gestellt werden kann

Bis Ende 2004 wurde die Sozialhilfe von den kommunalen Sozialämtern und die Arbeitslosenhilfe von den örtlichen Agenturen für Arbeit getrennt bearbeitet und ausgezahlt. Mit der Zusammenführung von Arbeitslosen- und Sozialhilfe ab 2005 soll eigentlich alles organisatorisch viel einfacher werden. Für das ALG II und Sozialgeld soll eine gemeinsame Anlaufstelle zuständig sein. In den meisten Orten arbeiten ab 2005 Arbeitsagenturen und Kommunen in »Arbeitsgemeinschaften« unter einem Dach zusammen. Die Anlaufstellen, bei denen der Antrag auf Arbeitslosengeld II gestellt wird, heißen dann in der Regel »Job-Center«.

69 Kommunen sind allein zuständig

Allerdings ist das längst nicht überall so. In manchen Städten und Kreisen gibt es statt einer festen Arbeitsgemeinschaft nur eine (lockere) Kooperation zwischen Arbeitsagenturen und Kommunen. Und in insgesamt 69 Städten und Landkreisen (siehe unten) regeln die Kommunen die ALG-II-Leistungen völlig in eigener Regie – ohne Kompetenzen der Arbeitsagenturen.

Sofern sowohl die Arbeitsagenturen als auch die Kommunen zuständig sind, gibt es zwischen diesen Institutionen folgende Arbeitsteilung: Die Agenturen sind zuständig für die Eingliederungsleistungen (Beratung, Vermittlung, Qualifizierung), um die Leistungsempfänger wieder an den Arbeitsmarkt heranzuführen. Außerdem fällt die Auszahlung des ALG II und des Sozialgeldes in ihre Zuständigkeit. Die Kommunen sind verantwortlich für die Kosten der Unterkunft und Heizung sowie für soziale Leistungen wie Kinderbetreuung, Schuldner- oder Suchtberatung.
Falls Sie nicht genau wissen, welche Stelle für Sie zuständig ist, sollten Sie bei der örtlichen Arbeitsagentur oder beim Sozialamt nachfragen. In folgenden 69 Städten und Landkreisen sind allerdings nur kommunale Stellen – und keine Arbeitsagenturen – für die »Grundsicherung für Arbeitsuchende« nach dem SGB II verantwortlich:

Baden-Württemberg:
Landkreis Biberach
Landkreis Bodenseekreis
Landkreis Ortenaukreis
Landkreis Tuttlingen
Landkreis Waldshut

Bayern:
Landkreis Miesbach
Landkreis Würzburg
Stadt Erlangen
Stadt Schweinfurt

Brandenburg:
Landkreis Oberhavel
Landkreis Ostprignitz-Ruppin
Landkreis Oder-Spree
Landkreis Spree-Neiße
Landkreis Uckermark

Hessen:
Landkreis Bergstraße
Landkreis Darmstadt-Dieburg
Landkreis Fulda
Landkreis Hersfeld-Rotenburg
Landkreis Hochtaunuskreis
Landkreis Main-Kinzig-Kreis
Landkreis Main-Taunus-Kreis
Landkreis Marburg-Biedenkopf
Landkreis Odenwaldkreis
Landkreis Offenbach
Landkreis Rheingau-Taunus-Kreis
Landkreis Vogelsbergkreis
Stadt Wiesbaden

Mecklenburg-Vorpommern:
Landkreis Ostvorpommern

Niedersachsen:
Landkreis Ammerland
Landkreis Emsland
Landkreis Göttingen
Landkreis Grafschaft Bentheim
Landkreis Leer
Landkreis Oldenburg
Landkreis Osnabrück
Landkreis Osterode am Harz
Landkreis Osterholz
Landkreis Peine
Landkreis Rotenburg
Landkreis Soltau-Fallingbostel
Landkreis Verden

Nordrhein-Westfalen:
Landkreis Borken
Landkreis Coesfeld
Landkreis Düren
Landkreis Ennepe-Ruhr-Kreis
Landkreis Hochsauerlandkreis
Landkreis Kleve
Landkreis Minden-Lübbecke
Landkreis Steinfurt
Stadt Hamm
Stadt Mülheim a.d. Ruhr

Rheinland-Pfalz:
Landkreis Daun
Landkreis Südwestpfalz

9

Saarland: Landkreis St. Wendel **Sachsen:** Landkreis Bautzen Landkreis Döbeln Landkreis Kamenz Landkreis Löbau-Zittau Landkreis Meißen Landkreis Muldentalkreis	**Sachsen-Anhalt:** Landkreis Anhalt-Zerbst Landkreis Bernburg Landkreis Merseburg-Querfurt Landkreis Schönebeck Landkreis Wernigerode **Schleswig-Holstein:** Landkreis Nordfriesland Landkreis Schleswig-Flensburg **Thüringen:** Landkreis Eichsfeld Stadt Jena

! Tipp 9
Die Ämter zahlen erst ab Antragstellung

Der Antrag kann auch formlos gestellt werden

Arbeitslosengeld II wird nur auf Antrag gewährt – und erst ab dem Tag der Antragstellung. Wenn Sie den Antrag beispielsweise erst am 16. Januar 2005 stellen, gehen Sie für die ersten 15 Tage des Januars leer aus – selbst wenn Sie in diesem Zeitraum keinerlei Einkommen hatten. Sie erhalten in diesem Fall nur 15/30, also die Hälfte der Januar-Leistung. Der Monat wird übrigens beim ALG II immer mit 30 Tagen gerechnet – auch dann, wenn er tatsächlich 28 oder 31 Tage hat.
Um einen Antrag zu stellen, müssen Sie nicht gleich den kompletten 16-seitigen Antrags-Fragebogen ausfüllen und abgeben. Die Beantragung der Unterstützung können Sie zunächst auch formlos erledigen, also etwa durch eine mündliche Vorsprache beim zuständigen Amt und im Extremfall sogar telefonisch. Auch das ist übrigens anders als bei der Versicherungsleistung Arbeitslosengeld (I). Dieses muss immer persönlich bei der Arbeitsagentur beantragt werden.

Schriftlichen Bescheid verlangen

Wenn Sie zunächst formlos ALG II beantragen, sollten Sie sich vom Amt aber sicherheitshalber immer eine schriftliche Bestätigung der Antragstellung geben lassen. Das kann beispielsweise per Eingangsstempel und Unterschrift des Sachbearbeiters auf einer Kopie Ihres Schreibens (gegebenenfalls auch des Antragsvordrucks) geschehen. Ansonsten können Sie später nicht nachweisen, dass Sie die Leistung tatsächlich beantragt haben.
Am besten sollten Sie Ihren Antrag deshalb schriftlich stellen. Das geht etwa so: »Hiermit beantrage ich für mich und meine Familie ab sofort Arbeitslosengeld II.« Dazu noch Name, Adresse und Unterschrift. Das reicht zunächst. Den ausgefüllten

Antrags-Fragebogen und alle weiteren notwendigen Unterlagen (siehe Tipp 10) können Sie später noch abgeben. Den ausführlichen Fragebogen sollten Sie ohnehin in Ruhe durcharbeiten und dabei – gegebenenfalls auch mit Hilfe einer Beratungsstelle oder Arbeitsloseninitiative und diesem Ratgeber – zunächst alle offenen Fragen klären.
Manchmal kann es auch geschehen, dass sich Ihr Sachbearbeiter beim Amt alle von Ihnen beigebrachten Unterlagen anschaut, etwas mitleidig mit den Achseln zuckt und erklärt: »Leider hat das keinen Zweck, Sie haben keinen Anspruch.«
Wenn Sie so etwas erleben, raten wir Ihnen, wachsam zu sein. Wenn Sie sich als Hilfesuchender auf diese Weise abspeisen lassen, haben Sie später nichts in der Hand, um sich gegen eine unberechtigte Abweisung zu wehren. Deshalb brauchen Sie auch in einem solchen Fall einen schriftlichen Ablehnungsbescheid, gegen den Sie dann unter Umständen Widerspruch und Klage einreichen können (siehe Tipps 110 und 111).

!

Tipp 10

Bei Abgabe des Antrags-Fragebogens:

Welche Unterlagen Sie mitbringen sollten

Wenn Sie den fertig ausgefüllten Antrags-Fragebogen zum ALG II beim zuständigen Träger abgeben, sollten Sie möglichst zusätzlich noch die unten genannten Unterlagen zum Amt mitbringen. Die aufgeführte Liste erhebt keinen Anspruch auf Vollständigkeit. Je nach ihrer persönlichen Situation können auch noch andere Unterlagen und Dokumente erforderlich sein.
Wichtig: Lassen Sie auf keinen Fall Originale beim Amt. Unterlagen, die nach Ansicht des Sachbearbeiters zu Ihrer Akte gehören, kann dieser kopieren.

Jeder Antragsteller:
- Bundespersonalausweis oder Pass
- Meldebescheinigung

Mieter:
- Zusatzblatt 1 zum Antrags-Formular ausfüllen
- Mietvertrag
- Nachweis über Heizkosten
- Nachweis über die Höhe der Nebenkosten
- Wohngeldbescheid
- ggf. Untermietvertrag

Hausbesitzer und Besitzer einer Eigentumswohnung, die ihre Immobilie ausschließlich selbst nutzen:
- Zusatzblätter 1 und 3 ausfüllen,
- Nachweis über die Größe von Grundstück und Haus bzw. Wohnung
- Kaufvertrag der Immobile
- Nachweis über Schuldzinsen der Immobilie
- Nachweis über Heizkosten
- Nachweis über die Höhe der sonstigen Nebenkosten

Besitzer eines Hauses oder einer Eigentumswohnung, die diese(s) nicht ausschließlich selbst nutzen:

- Zusatzblätter 1 und 3 ausfüllen
- Kaufvertrag der Immobilie
- Nachweis über Schuldzinsen und Nebenkosten für die Immobilie
- Nachweis über den Verkehrswert der Immobilie (das kann auch eine persönliche Schätzung auf Basis der Preise sein, die für Immobilien in der Nachbarschaft erzielt worden sind)
- Nachweis über die aktuelle Restschuld
- Nachweis über die Höhe der Mieteinnahmen (Mietverträge)
- Nachweis über Heizkosten, wenn Antragsteller selbst mit in dieser Immobilie wohnen
- Nachweis über die Höhe der Nebenkosten, wenn Antragsteller mit in dieser Immobilie wohnen

Wer Geldanlagen hat:

- Zusatzblatt 3 ausfüllen
- aktueller Girokontoauszug
- Sparbücher
- Nachweise über Sparbriefe und sonstige Wertpapiere
- Nachweise über den aktuellen Rückkaufswert von Kapitallebens- und private Rentenversicherungen
- Nachweis über Bausparverträge (mit letztem Bausparkontoauszug)
- Vertrag und Nachweis über den aktuellen Kontostand eines steuerlich geförderten Altersvorsorgevermögens (Riester-Rente)

Wer Einkommen hat:

- Zusatzblatt 2 ausfüllen bzw. durch den Arbeitgeber ausfüllen lassen
- Bescheide über andere Sozialleistungen, z. B. Renten, Krankengeld oder Arbeitslosengeld (I)
- Bescheid über die Eigenheimzulage
- Unterhaltstitel

Bei Mehrbedarf (siehe Tipps 29 bis 32):

- Mutterpass oder ärztl. Attest (zum Nachweis der Schwangerschaft ab der 13. Woche)
- Nachweise eines Rehabilitationsträgers
- Ärztliches Attest für kostenaufwändigere Ernährung (hierzu gibt es einen speziellen Vordruck)

Wer (zuvor) Arbeitslosengeld/-hilfe bezogen hat:

- Beendigungsschreiben bei Erschöpfung des Anspruchs
- Leistungsbescheide
- Sperrzeitbescheid
- Erlöschensbescheid

Sonstige Unterlagen:

- Mitgliedsbescheinigung der Krankenkasse
- Nachweis über Rentenversicherung
- bei Geschiedenen: Scheidungsurteil
- bei Ausländern: Aufenthaltsgenehmigung / -berechtigung, Arbeitsgenehmigung

Falls Sie **Schulden** haben, sollten Sie auch diese nachweisen. Das Amt kann in Ausnahmefällen für Mietschulden eintreten (siehe Tipp 38), in jedem Fall haben Sie aber Anspruch darauf, eine qualifizierte Schuldnerberatung zu erhalten. Ihr Sachbearbeiter kann Sie gegebenenfalls informieren, wo Sie diese bekommen können. Soweit vor Ort eine gut funktionierende Kooperation der Ämter und Beratungsstellen existiert, können Sie auch sofort einen Termin bei der Schuldnerberatung erhalten.

! Tipp 11
Sie dürfen einen Beistand zum Amt mitbringen

Sie haben das Recht, einen Beistand zum Amt mitzunehmen. Das ist im zehnten Sozialgesetzbuch geregelt. Die Ämter müssen es also akzeptieren, wenn Sie jemand zu Ihrer Unterstützung begleitet. Das ist vor allem dann sinnvoll, wenn Sie Auseinandersetzungen befürchten oder wenn Sie die deutsche Sprache nicht gut genug beherrschen.
Als Beistand können Sie einen Freund oder Bekannten mitnehmen; oft ist es aber besser, jemanden zu wählen, der Erfahrung im Umgang mit den Ämtern hat, beispielsweise einen Mitarbeiter eines Wohlfahrtsverbands oder einer Arbeitsloseninitiative.
Wenn Sie Ihrem Sachbearbeiter nicht allein gegenübersitzen, sondern einen (fachkundigen) Begleiter mitbringen, lassen sich oft Probleme besser regeln. Dadurch kann beispielsweise eine aufgeheizte Stimmung wieder »abgekühlt« werden. Außerdem bekommen so manche Mitarbeiter des Amts ein stärkeres Gefühl dafür, dass sie über existenzielle Angelegenheiten entscheiden und dabei auch öffentlich kontrolliert werden.
Wenn Sie jemanden zur Behörde mitbringen, machen Sie sich zuvor am besten nochmals klar, was das Mitbringen des Beistands für Sie und für den Sachbearbeiter bedeutet: Dabei sollte es sich keinesfalls um eine »Kampfansage« an das Amt handeln. Auch der Sachbearbeiter wird das meist nicht so verstehen. Es geht vielmehr darum, durch das Hinzuziehen eines Dritten ein Problem zu lösen. Und das kann – grundsätzlich – auch nur im Interesse des Amts sein.

Bei Ihrem Besuch im Amt verhalten Sie sich am besten folgendermaßen:
Stellen Sie zunächst Ihre Begleiterin oder Ihren Begleiter in aller Form vor. Erklären Sie dem Sachbearbeiter kurz, warum Sie den Beistand mitgebracht haben. Achten Sie im Gesprächsverlauf auch darauf, was Ihr Begleiter oder Ihre Begleiterin vorbringt. Diese(r) spricht schließlich nicht für sich selbst, sondern für Sie.
Wenn Sie sich – trotz Ihres Beistandes – auch nach dem Gespräch weiterhin ungerecht behandelt fühlen, sollten Sie um einen schriftlichen Bescheid der Behörde bitten (so-

fern dieser noch nicht vorliegt). Gegen diesen Bescheid können Sie dann noch immer – soweit Sie die Fristen einhalten (siehe Tipp 110) – Widerspruch einlegen.

! Tipp 12 Falsche Angaben vermeiden

12

Behörden gleichen Daten ab

Wenn Sie den Antrag auf ALG II wissentlich falsch ausfüllen, müssen Sie mit Sanktionen rechnen – schlimmstenfalls wird Ihnen sogar Betrug vorgeworfen. Im Übrigen denken Sie daran: Falsche Angaben fliegen schnell auf. *Einige Beispiele:*

Sie vergessen Ihren Partner oder andere Haushaltsmitglieder im Antrag
Die zuständige Behörde kann die Daten schnell mit dem Einwohnermeldeamt abgleichen. Falls Ihr Partner oder andere Haushaltsmitglieder in Ihrer Wohnung gemeldet sind, lässt sich das so feststellen. Das kann auch über Kontoauszüge auffallen, die auf eine gemeinsame Kontoführung hinweisen. Es kann aber auch über gemeinsame Bausparverträge oder sonstige Geldanlagen herauskommen.

Falsche Angaben zur Entfernung zur Arbeit
Falls Sie oder Ihr (Ehe-)Partner einen (Neben-)Job haben und für die Werbungskosten, die das Amt berücksichtigt, die Entfernung zur Arbeitsstelle zu großzügig berechnen, können diese Angaben ganz einfach und schnell mit einem Routenplaner geprüft werden. Die Ämter erstatten nur die Kosten für den kürzesten Weg (siehe Tipp 83).

Mini-Job wird nicht angegeben
Das kommt per Datenabgleich mit dem Verband Deutscher Rentenversicherungsträger (VDR) heraus.

PKW-Besitz wird verschwiegen
Seit 1996 dürfen die Ämter einen Datenabgleich mit der Kfz-Zulassungsstelle vornehmen. Damit fällt ganz schnell auf, wenn Sie zwar ein Auto besitzen, aber im Antrags-Fragebogen nicht angegeben haben. Übrigens: In den meisten Fällen dürfen ALG-II-Bezieher und ihre erwerbsfähigen Angehörigen ein Auto haben (siehe Tipp 62)!

Unterhaltseinkünfte werden verheimlicht
Wenn zum Beispiel der getrennt lebende Vater des bei Ihnen wohnenden Kindes regelmäßig Unterhalt zahlt, so müssen sie diese Einnahme im ALG-II-Fragebogen angeben. Wenn Sie die Zahlung verschweigen, braucht die Behörde nur beim Vater des Kindes nachzufragen, ob dieser Unterhalt bezahlt. Wenn er angibt, nicht zu zahlen, aber eigentlich zahlen müsste, wird das Amt versuchen, sich bei ihm das an das Kind gezahlte Sozialgeld zurückzuholen.

Freistellungsauftrag für Zinserträge nicht angegeben
Die Ämter führen routinemäßig einen Datenabgleich mit dem Bundesamt für Finanzen durch. Durch diesen erfahren sie von Ihren Freistellungsaufträgen und Zinserträgen – und damit auch von Vermögens-Rücklagen bei Kreditinstituten, die Sie möglicherweise nicht angegeben haben.

Tipp 13

Wenn sich Ihre Lebenssituation ändert:

Maßgebliche Änderungen mitteilen

ALG II und Sozialgeld werden in der Regel für sechs Monate bewilligt. Dann muss schon wieder ein neuer Antrag gestellt werden. Allerdings: Auch innerhalb dieser sechs Monate können sich die Einkommens- und Vermögens-, Familien- oder Wohnverhältnisse ändern. Dann muss eine Neuberechnung erfolgen.
ALG-II-Bezieher müssen deshalb alle Änderungen ihrer Einkommens- und Lebenssituation unverzüglich dem Leistungsträger mitteilen. Wenn Sie Änderungen verschweigen, die dazu führen, dass Sie »weniger bedürftig« sind, drohen Ihnen Rückforderungen und ein Ordnungswidrigkeits- oder sogar ein Strafverfahren.
Mitteilen müssen Sie deshalb beispielsweise die Aufnahme einer Beschäftigung. Auch Mini-Jobs oder »165-Euro-Jobs« müssen Sie anmelden. Das Gleiche gilt, wenn Sie etwa eine größere Erbschaft machen, eine Steuerrückzahlung erhalten oder andere größere Geldbeträge überwiesen bekommen oder ein (minderjähriges) Kind von zu Hause auszieht oder BAföG erhält. All das – und noch viel mehr – kann dazu führen, dass es weniger Geld für die Bedarfsgemeinschaft vom Amt gibt.
Umgekehrt können Sie natürlich auch höhere Leistungen erhalten – wenn sich innerhalb des Bewilligungszeitraums Ihre Einkommenssituation verschlechtert oder etwa die Miet- oder Heizungskosten steigen. Auch dann sollten Sie umgehend einen neuen Antrag auf ALG II stellen. Das gilt auch dann, wenn Sie sich von Ihrem (Ehe-)Partner trennen und folglich keine Bedarfsgemeinschaft mehr mit ihm oder ihr bilden. Denn dann steht Ihnen ein höherer Regelsatz zu (siehe Tipp 28). Zugleich wird ein Einkommen Ihres Ex-Partners dann nicht mehr mit angerechnet.

Tipp 14

Das Geld wird zum Monatsanfang überwiesen

Bei Überschuldung: »Guthabenkonto« beantragen

Die bewilligte Leistung wird Ihnen zum Monatsanfang auf Ihr Konto überwiesen. Probleme ergeben sich allerdings für diejenigen, die noch kein Konto haben oder – etwa weil sie überschuldet sind – kein Konto (mehr) besitzen.
In diesen Fällen kann das Geld zwar per »Zahlungsanweisung zur Verrechnung« (besser bekannt als Post-Baranweisung) übermittelt werden. Diese Form der Über-

weisung ist allerdings teuer. Eine Überweisung von 1000 € kostet beispielsweise immerhin 9,60 € an Gebühren.
Wenn Sie noch kein eigenes Konto haben, sollten Sie deshalb möglichst eines eröffnen. Reden Sie mit einer Bank Ihrer Wahl! Banken – und vor allem auch Sparkassen – sind meist bereit, selbst für Kunden, die nicht als solvent gelten oder sogar hoch verschuldet sind, Konten zu eröffnen. Eine Reihe von Banken bieten in solchen Fällen so genannte Guthabenkonten an, die nicht überzogen werden können.
Lehnt es eine Bank allerdings ab, für Sie ein Konto zu eröffnen, so kann es sich lohnen, wenn Sie sich das – und den Grund hierfür – von dem Geldinstitut schriftlich bestätigen lassen. Denn wenn Sie nachweisen können, dass Sie ohne eigenes Verschulden kein Girokonto besitzen, tragen die Ämter die Kosten der dann notwendigen Baranweisung.

! Tipp 15 Daten des Vermieters müssen nicht angegeben werden

Amt darf Miete nur selten direkt an den Vermieter überweisen

Im Antrag auf ALG II – genau: im Zusatzblatt 1 »zur Feststellung der Unterkunftskosten« – wird auch nach Name, Adresse und Kontonummer des Vermieters gefragt. Das verunsichert viele Antragsteller: Warum will das Amt die Daten über den Vermieter haben? Will das Amt etwa direkt die Überweisung der Miete übernehmen?
Möglicherweise planen das eine Reihe von Ämtern. Ein solches Verfahren wäre aber rechtswidrig. In § 22 Abs. 4 SGB II wird der direkte Überweisungsweg vom Amt zum Vermieter nämlich ausdrücklich nicht zum Standard, sondern zur Ausnahme erklärt. Danach gilt: Die Gelder für Unterkunft und Heizung sollen nur dann direkt an den Vermieter gehen, »wenn die zweckentsprechende Verwendung durch den Hilfebedürftigen nicht sichergestellt ist«. Mit anderen Worten: Nur wenn die Ämter davon ausgehen müssen, dass ALG-II-Empfänger das für Wohnung und Heizung bestimmte Geld von der Behörde für andere Zwecke verprassen, dürfen sie die Miete direkt an den Vermieter überweisen. Dieser erfährt dadurch natürlich, dass bedürftige Mieter in seinem Haus wohnen.

Auskünfte zum Vermieter brauchen Sie nicht zu geben

Nach Auskunft der Bundesagentur für Arbeit werden die Daten über den Vermieter »für den Fall der Fälle«, also »auf Vorrat« erhoben. Es könne ja sein, dass ein ALG-II-Bezieher das Geld für die Unterkunftskosten zweckentfremde – und für diesen Fall habe man dann schon mal die Kontonummer des Vermieters.
Eine solche Datenerhebung »auf Vorrat« widerspricht aber geltendem Recht. Daher brauchen Sie die im Antrags-Fragebogen gewünschten Informationen nicht zu geben. Insbesondere die Kontonummer des Vermieters, die zu den höchst sensiblen Daten gehört, darf tabu bleiben. In Ihren Ausfüllhinweisen schreibt die Bundesagentur für Arbeit übrigens zum Thema »Vermieter«: »Die Angaben sind freiwillig. Die Bankverbindung des Vermieters wird

im Normalfall nicht benötigt. [...] Bei Bedarf werden die erforderlichen Daten später erhoben. Entsprechendes gilt für Name und Anschrift des Vermieters.«
Die BA will übrigens bei der Neuauflage des Antragsformulars im Jahr 2005 auf die entsprechenden Fragen verzichten.

Ansonsten haben ALG-II-Empfänger einen Rechtsanspruch darauf, dass die Behörden ihnen das Geld für die Warmmiete zunächst aufs eigene Konto überweisen und sie diesen Betrag dann selbst an den Vermieter weiterleiten können.
Nur wenn dieses Verfahren nicht in Frage kommt oder nicht funktioniert, darf die Behörde die Miete direkt an den Vermieter überweisen. Dies muss jedoch zunächst mitgeteilt werden. Und: Gegen eine solche Änderung der Überweisungspraxis können grundsätzlich auch Rechtsmittel eingelegt werden (siehe Tipp 110). Allerdings: Man kann dem zuständigen Amt auch von vornherein ausdrücklich seine Zustimmung zur direkten Miet-Überweisung erteilen. Im Einzelfall kann dies auch sinnvoll sein. Beispielsweise dann, wenn Hilfebedürftige ihr Geld schlecht einteilen können.

Vorsicht bei »Überweisungsermächtigungen«

Juristisch gesehen ist es – wie erläutert – keineswegs unproblematisch, wenn die Ämter die Miete statt an Hilfeempfänger direkt an den Vermieter überweisen. In der Vergangenheit hatten viele Sozialämter dafür eigene Formulare mit dem Titel »Überweisungsermächtigung« entwickelt. Es steht zu erwarten, dass ähnliche Formulare künftig auch beim ALG II verwendet werden. Wenn Sie ein solches Formular unterschreiben, erlauben Sie dem Amt, an Ihrer Stelle dem Vermieter die Miete zu überweisen. Aufpassen sollten Sie vor allem, wenn Ihnen ein solches Formular ungefragt vorgelegt wird, ohne dass Sie dem Amt Anlass zu Zweifeln gegeben haben, dass Sie das Geld ganz regelmäßig an Ihren Vermieter weiterleiten. In solchen Fällen können Sie zum einen die Unterschrift unter die Ermächtigung verweigern und zum anderen umgehend den Datenschutzbeauftragten Ihres Bundeslandes einschalten und um eine Überprüfung bitten (unter www.datenschutz.bund.de finden Sie die Adressen). Denn dann spricht alles dafür, dass das Amt über den Umweg der Überweisungsermächtigung den gesetzlichen Vorrang der direkten Überweisung der Miete durch den Mieter »aushebelt«.

!

Tipp 16

Wenn Sie eine Pfändung befürchten:

ALG II innerhalb von sieben Tagen vom Konto abheben

Bei Schulden kann grundsätzlich auch das Arbeitslosengeld II an der »Quelle« – also direkt bei dem Amt, das es überweist – gepfändet werden. Das ist allerdings nur dann möglich, wenn die Leistung die so genannten Pfändungsfreigrenzen überschreitet. Das dürfte meist nicht der Fall sein. Wenn aber doch, dann sollten sich Betroffene kurzfristig einen Beratungstermin bei einer Schuldnerberatungsstelle geben lassen.
Anders ist die Situation, wenn das ALG II und Sozialgeld bereits auf das Konto der Leistungsbezieher überwiesen ist. Denn Sozialleistungen dürfen nach der Gutschrift

für die Dauer von sieben Tagen nicht vom Konto gepfändet werden. Dies bestimmt §55 des ersten Sozialgesetzbuchs. Auch die Banken müssen sich hieran halten, wenn die Hilfebezieher ihr Konto über den gewährten Überziehungskredit hinaus belastet haben. Innerhalb der Wochenfrist darf eine Bank die ALG-II-Überweisung also nicht mit dem Minus auf dem Girokonto verrechnen. Das entschied – bezogen auf eine andere Sozialleistung – der Hessische Verwaltungsgerichtshof schon im Jahr 1985 (Az: 11 TG 1699/85 vom 16.9.1985).
Tipp: Wer mit einer Pfändung rechnet, sollte das vom Amt überwiesene Geld also möglichst schnell (noch vor Ablauf einer Woche!) von seinem Konto abheben.

17

! Tipp 17 Fordern Sie Ihren persönlichen Ansprechpartner im Amt

Wenn Sie ALG II beantragen, ist für Sie beim Job-Center ein »persönlicher Ansprechpartner« oder eine Ansprechpartnerin zuständig. Diese(r) wird intern in den Arbeitsagenturen auch kurz »Pap« genannt. Der »Pap« soll Sie – so heißt es im Merkblatt der Bundesagentur für Arbeit – bei Ihrer »beruflichen oder sozialen Eingliederung« unterstützen.
Er schließt mit Ihnen unter anderem eine »Eingliederungsvereinbarung« ab, in der mit Ihnen vereinbart wird, wie die Eingliederung in Arbeit in Ihrem persönlichen Fall vonstatten gehen soll (siehe Tipp 18). Er ist zuständig, wenn Sie – beispielsweise – die Übernahme von Kinderbetreuungskosten durch das Amt oder ein so genanntes »Einstiegsgeld« bei der Aufnahme einer sozialversicherten oder selbstständigen Beschäftigung (siehe Tipp 106) beantragen. Er bestraft Sie aber auch, wenn Sie Vereinbarungen nicht einhalten, zu abgesprochenen Terminen nicht erscheinen oder ein Arbeitsangebot ablehnen. In diesen Fällen kann Ihr ALG II jeweils gekürzt werden (siehe Tipps 108 und 109).

Arbeitsvermittler, Sozialarbeiter und Sozialpolizist

Kurzum: Der persönliche Ansprechpartner, der für die gesamte ALG-II-Bedarfsgemeinschaft (siehe Tipp 22) zuständig ist, ist für Sie so etwas wie ein Arbeitsvermittler, Sozialarbeiter und Sozialpolizist in einer Person. Wenn er meint, dass es sich bei Ihnen um einen besonders »schwierigen Fall« handelt, kann er auch einen so genannten Fallmanager einschalten und Ihre Betreuung an diesen abgeben. Das kommt unter anderem dann in Frage, wenn Sie überschuldet sind, ein Suchtproblem haben oder schon etliche Jahre arbeitslos sind.
Am besten werden Sie wohl mit Ihrem Ansprechpartner – egal ob Fallmanager oder »Pap« – klarkommen, wenn Sie ihn in erster Linie als Dienstleister ansehen – und entsprechend fordern. Das kann zum Beispiel so gehen:
Warten Sie erst gar nicht ab, bis Ein- oder Vorladungen vom Amt kommen, sondern wenden Sie sich immer dann an Ihren Ansprechpartner, wenn Sie konkrete Wünsche oder Fragen – vor allem zur Arbeitssuche – haben. Nehmen Sie die Dienste des »Pap« oder Fallmanagers aktiv in Anspruch, um Ihre eigenen Interessen durchzusetzen:

Eine möglichst gut bezahlte, vernünftige Arbeit zu finden, in der Sie Ihre Fähigkeiten auch anwenden können.

Dienstleistungen einfordern

Aufgabe des für Sie zuständigen Ansprechpartners ist es, Sie dabei zu unterstützen. Machen Sie ihm oder ihr deutlich, welche Art von Arbeit Sie suchen. Dabei brauchen Sie sich nicht von den rigiden Zumutbarkeitsregeln (siehe Tipp 107) beeindrucken zu lassen. Diese sagen nur etwas darüber aus, welche Arbeiten Sie gegebenenfalls annehmen müssen. Sie selbst sind völlig frei darin, selbst Schwerpunkte bei der Arbeitssuche zu setzen – so lange Sie damit Vereinbarungen mit dem zuständigen Amt (Job-Center) nicht verletzen.

17

Jedem qualifizierten »Pap« müsste klar sein, dass Sie auf Dauer mit einer Arbeit, die Ihren eigenen Wünschen entspricht, weit besser klar kommen als mit einer vom Amt aufgedrängten Tätigkeit. Fragen Sie Ihren »Pap« daher gezielt nach den Hilfen des Amtes, die für Sie in Frage kommen (siehe auch Tipps 105 und 106). Dazu einige *Beispiele:*

Bewerbungsunterlagen durchschauen: Sie bewerben sich auf eine Arbeitsstelle, die Ihrer Ansicht nach genau für Sie passen könnte. Sie sind sich aber unsicher, ob Ihre Bewerbungsunterlagen für die entsprechende Firma in Ordnung sind. Bitten Sie Ihren Ansprechpartner, kurzfristig Ihre Unterlagen anzuschauen. Falls das gerade nicht möglich ist, wird er Ihnen immerhin sagen können, wer Ihnen weiterhelfen kann.

Zusatzinformationen zu Stellenangeboten: Sie erhalten vom Job-Center ein Stellenangebot, das für Sie interessant klingt: Fragen Sie den »Pap«, ob er gegebenenfalls Zusatzinformationen zu der Firma und zu der ausgeschriebenen Stelle hat.

Lohnkostenzuschuss möglich: Sie haben gerade ein Vorstellungsgespräch hinter sich – eigentlich könnte es klappen, meinen Sie. Aber Sie befürchten, dass die Einstellung doch an Ihrem Alter scheitern könnte. *Tipp:* Bitten Sie Ihren »Pap«, sich direkt mit der Firma in Verbindung zu setzen. Gegebenenfalls kommt für Sie ein Lohnkostenzuschuss vom Amt in Frage, den der Arbeitgeber dann erhält.

Welche Unterstützung Sie sonst noch von Ihrem persönlichen Ansprechpartner erwarten können, steht Sie in den Tipps 105 und 106.

Nach E-Mail-Adresse fragen

Die Dienste Ihres Ansprechpartners im Amt können Sie nur dann intensiv nutzen, wenn Sie ihn jeweils kurzfristig erreichen können. Fragen Sie ihn oder sie deshalb nach der telefonischen Durchwahlnummer und danach, zu welchen Zeiten Sie ihn oder sie am günstigsten telefonisch erreichen können. Oftmals ist es allerdings die telefonische Kontaktaufnahme schwierig. Wenn Sie einen Internetanschluss haben, fragen Sie Ihren »Pap« oder Fallmanager deshalb auch, ob Sie ihn per E-Mail erreichen können. Jeder Beschäftigte in den Ämtern hat eine persönliche E-Mail-Adresse. Erkundigen Sie sich daher nach der Adresse Ihres Ansprechpartners.

Was Sie bei Konflikten tun können

17

Die für Empfänger von ALG II und Sozialgeld zuständigen persönlichen Ansprechpartner und Fallmanager haben in ihrer Funktion als Dienstleister, Kontrolleure und Bestrafer gegenüber den Hilfebedürftigen eine recht mächtige Position. Wer ALG II bezieht, hat zum Beispiel kaum noch die Möglichkeit, Arbeitsangebote abzulehnen, weil nahezu jede (auch unter Tarif bezahlte) Arbeit als zumutbar gilt (siehe Tipp 107). Anders als zuvor für bei der Arbeitslosenhilfe gibt es für ALG-II-Bezieher auch keine Rechtsansprüche mehr bei so genannten Arbeitsmarkt-Leistungen. Es handelt sich also durchweg um Ermessensleistungen, ob ALG-II-Empfänger beispielsweise ein Einstiegsgeld bei der Aufnahme einer selbstständigen oder sozialversicherten Tätigkeit bekommen. Diese Leistungen – genauso wie Weiterbildung, Bewerbungstraining, jobbedingte Umzugshilfen und andere arbeitsmarktpolitische Leistungen – **können** bewilligt werden – sie können aber auch abgelehnt werden. Die Entscheidung darüber trifft Ihr »Pap« oder Fallmanager.
Es kann vorkommen, dass er seine Machtposition missbraucht, indem er beispielsweise bestimmte »Kunden« schikaniert. Das gab es zuvor schon in Ausnahmefällen bei den Sozialämtern und Arbeitsagenturen – und das wird es voraussichtlich auch künftig in den Job-Centern und sonst zuständigen Ämtern geben.
Einige bekannte Methoden: Ihr Sachbearbeiter stellt Ihnen bei jedem Besuch die Aufgabe, neue Unterlagen vorzulegen, obwohl Sie die verlangten Unterlagen jeweils beigebracht haben. Oder: Ihnen passiert jetzt zum dritten Mal, dass er Sie bestellt hat, aber selbst nicht da ist – und Sie wissen genau, dass er nicht krank ist. Oder: Er lehnt ohne Begründung die Übernahme von Bewerbungskosten ab.

»Knigge« für Ihren Umgang mit Ihrem persönlichen Ansprechpartner

1. Verhalten Sie sich dem persönlichen Ansprechpartner (»Pap«) gegenüber offen, freundlich und vorurteilsfrei – er ist nicht Ihr Gegner!
2. Fordern Sie den »Pap«! Er ist Dienstleister!
3. Teilen Sie dem »Pap« Ihre Wünsche bei der Arbeitssuche möglichst genau mit! Aber: Bringen Sie ihn nicht in Gewissenskonflikte – etwa, indem Sie ihm mitteilen, dass Sie bestimmte Arbeiten grundsätzlich nicht annehmen würden.
4. Formulieren Sie möglichst konkret, welche Hilfestellungen Sie erwarten! Machen Sie sich eine Liste, welche Punkte Sie im Gespräch mit ihm ansprechen möchten!
5. Halten Sie Termine mit dem »Pap« ein!
6. Geben Sie frühzeitig Bescheid, wenn Sie einen Termin nicht einhalten können, belegen Sie gegebenenfalls, warum Sie nicht können (etwa durch eine Krankschreibung)!
7. Machen Sie von sich aus Termine mit dem »Pap« ab! Warten Sie nicht darauf, dass Sie vorgeladen werden!
8. Nehmen Sie Besprechungen mit dem »Pap« ähnlich ernst wie Vorstellungsgespräche!
9. Treffen Sie mit dem »Pap« klare Vereinbarungen!
10. Geben Sie dem »Pap« nach Vorstellungsgesprächen und ähnlich wichtigen Terminen Rückmeldung!

Wenn Sie Schikanen erleben, sollten Sie die »Notbremse« ziehen. Die »Paps« und Fallmanager sind Dienstleister für Hilfesuchende. Ihr Job ist es nicht, sie zu schikanieren. Möglich ist eine (formlose) Beschwerde beim jeweiligen Vorgesetzten. Möglich ist auch eine formelle Dienstaufsichtsbeschwerde. Hierbei sollten Sie sich beraten lassen, etwa bei Ihrer Gewerkschaft oder bei einer Arbeitsloseninitiative. Gegebenenfalls sind bei den Initiativen einzelne »Paps« bereits als »schwarze Schafe« bekannt. Wenn Sie sich beschweren möchten, sollten Sie in jedem Fall alle Vorkommnisse genau aufschreiben, möglichst mit Datum, Gesprächsinhalt und – soweit vorhanden – Angabe von Zeugen.

Knigge für Ihren persönlichen Ansprechpartner

1. Er ist Ihnen gegenüber freundlich und zuvorkommend.
2. Er geht davon aus, dass Sie Arbeit brauchen und arbeiten möchten.
3. Er hilft Ihnen, den von Ihnen gewünschten passenden Job zu finden.
4. Er trifft klare Vereinbarungen mit Ihnen und kommt beim nächsten Termin auf diese Vereinbarungen zurück.
5. Er informiert Sie darüber, wie Sie ihn gegebenenfalls schnell per E-Mail oder telefonisch erreichen können.
6. Er stellt Ihnen keine »Fallen«, indem er Sie bewusst in eine Situation bringt, in der Ihnen eine Kürzung Ihres ALG II oder gar eine Streichung der Leistung droht.
7. Er spricht es offen an, wenn Sie durch Ihr Verhalten oder Ihre Aussagen Ihren Anspruch auf ALG II gefährden.
8. Wenn er Ihnen Praktika, Arbeiten, oder Maßnahmen anbietet, geht es um Hilfestellungen für Sie und nicht darum, Sie zu schikanieren.

! Tipp 18 Nutzen Sie die Eingliederungsvereinbarung

Vereinbaren Sie Hilfen, um leichter eine Stelle zu bekommen

Wenn das zweite Sozialgesetzbuch so umgesetzt wird, wie es sich der Gesetzgeber vorstellt, wird das für Sie zuständige Amt Sie schon bald, nachdem Sie den Antrag auf ALG II gestellt haben, zum Abschluss einer so genannten Eingliederungsvereinbarung (EV) auffordern: § 15 Abs. 1 SGB II bestimmt nämlich: »Die Agentur für Arbeit soll in Einvernehmen mit dem kommunalen Träger mit jedem erwerbsfähigen Hilfebedürftigen die für seine Eingliederung erforderlichen Leistungen vereinbaren (Eingliederungsvereinbarung).«

Was ist eine Eingliederungsvereinbarung?
ALG-II-Bezieher sollen möglichst bald wieder »auf eigenen Beinen« stehen – und ohne oder zumindest mit geringerer finanzieller Unterstützung des Amtes leben können. Wie das geschehen kann, soll in der Eingliederungsvereinbarung festgehalten werden. Diese wird zwischen jedem erwerbsfähigen Hilfebezieher und seinem persönlichen Ansprechpartner (siehe Tipp 17) beim zuständigen Amt vereinbart. Das

Konzept der Eingliederungsvereinbarungen (diese gibt es auch schon bisher für Arbeitslose, die bei den Arbeitsagenturen gemeldet sind) sieht eigentlich vor, dass beide Seiten – also das Amt und der ALG-II-Bezieher – vereinbaren, was zur Eingliederung in den Arbeitsmarkt getan werden kann und soll. Die Arbeitsagenturen vergessen dabei allerdings gerne Ihren Teil an der EV. So heißt es im offiziellen Merkblatt der Bundesagentur zum ALG II ganz offen: »Die Eingliederungsvereinbarung legt im Wesentlichen fest, welche Aktivitäten Sie selbst in welcher Häufigkeit und Form unternehmen.«

18

Wie kann man sich auf den Abschluss einer EV vorbereiten?
Am besten fahren Sie, wenn Sie selbst möglichst genau wissen, was Ihre persönlichen Ziele zu Arbeit und Beruf sind. Die Ämter können schließlich eine Reihe von sinnvollen Dienstleistungen anbieten, die Ihnen beim Wiedereinstieg in den Job oder auch bei der Suche nach einer besseren Beschäftigung helfen können. Sinnvoll ist es daher, wenn Sie sich vor dem entscheidenden Termin mit Ihrem persönlichen Ansprechpartner überlegen, welche Hilfestellungen Sie erwarten.

Welche Hilfen könnten das denn sein?
Zwei *Beispiele:* Für allein Erziehende kann beispielsweise das Thema »Kinderbetreuung« entscheidend sein. Ohne vernünftige Regelungen zur Betreuung sind die Betroffenen häufig nicht in der Lage, einer Erwerbstätigkeit nachzugehen. Sie sollten sich deshalb überlegen, welche Hilfen Sie sich bei diesem Punkt vom Amt erhoffen. Manche Arbeitslose haben auch sehr klare Vorstellungen davon, woran es lag, dass sie ihren letzten Arbeitsplatz verloren haben – beispielsweise, weil sie die neueren Computerprogramme nicht beherrschen. Hier kann das Amt vielleicht mit einem Bildungskurs helfen. Detaillierte Informationen zu den möglichen Hilfen des Amtes finden Sie in Kapitel K dieses Buches.

Ist der Abschluss einer EV verbindlich?
Nach dem Gesetz dürfen Hilfebezieher den Abschluss einer EV nicht verweigern. Andernfalls droht nämlich eine Strafe. § 31 Absatz 1 SGB II bestimmt, dass derjenige, der sich trotz Belehrung über die Rechtsfolgen weigert, »eine ihm angebotene Eingliederungsvereinbarung abzuschließen«, mit einer Kürzung seines ALG II rechnen muss: Drei Monate lang kann das ALG II dann um 30 Prozent gekürzt werden. Diese Strafe droht allerdings nur demjenigen, der sich von vornherein und grundsätzlich weigert, eine EV abzuschließen. Sie droht nicht, wenn sich der persönliche Ansprechpartner und der ALG-II-Bezieher nicht über den Inhalt einer Vereinbarung einigen können und letzterer begründete Vorbehalte gegen die Vorstellungen seines Sachbearbeiters hat.

Muss man die EV sofort unterzeichnen?
Nein. Gesetzlich ist das nicht festgelegt. Es spricht nichts dagegen, wenn Sie um eine »Überlegungspause« bitten. Dazu raten auch die Sozialrechtsexperten Prof. Albrecht Brühl und Albert Hofmann in ihrem Buch zum SGB II, das für Experten und Behörden bestimmt ist (siehe Literaturhinweis nach Tipp 111). In jedem Fall sollten Sie darauf bestehen, den Entwurf der Vereinbarung ausgehändigt zu bekommen. Diese können Sie dann mit Menschen besprechen, denen Sie fachlich vertrauen – etwa mit den Mitarbeitern eines Arbeitslosenzentrums oder einer Gewerkschaft.

Was passiert, wenn Uneinigkeit über den Inhalt der Vereinbarung herrscht?
In der Gesetzesbegründung der Bundesregierung zu entsprechenden Regelungen im dritten Sozialgesetzbuch heißt es hierzu: »Bei Differenzen über die vorzusehenden Maßnahmen kann der Arbeitslose eine Beratung und Entscheidung des Vorgesetzten verlangen. Hierbei kann er zu seiner Unterstützung auch einen Berater seines Vertrauens hinzuziehen.« Das müsste auch für die Eingliederungsvereinbarungen für ALG-II-Empfänger nach dem SGB II gelten.

Und wenn dennoch keine Einigkeit erzielt wird?
Dann kann das Amt einen Eingliederungsbescheid erlassen. Auch das ist im Gesetz geregelt: »Kommt eine Eingliederungsvereinbarung nicht zustande, sollen die Regelungen [...] durch Verwaltungsakt erfolgen«, heißt es in § 15 Abs. 1 Satz 5 des zweiten Sozialgesetzbuchs.

Kann man sich gegen einen Eingliederungsbescheid wehren?
Ja, diesen kann man mit Widerspruch und Klage (siehe Tipp 110) anfechten. Das ändert allerdings – bis eine andere Entscheidung vorliegt – nichts an der Geltung des Bescheids bzw. der EV. Wenn Sie sich nicht an die EV bzw. den Bescheid halten, drohen Ihnen auch dann Sanktionen, wenn Sie Rechtsmittel eingelegt haben.

Was passiert, wenn Sie die EV nicht einhalten?
Wenn eine EV zustande kommt oder wenn die Arbeitsagentur per Bescheid festgestellt hat, was Sie zu Ihrer Eingliederung unternehmen sollen, dann ist dies zunächst für Sie verbindlich. Anders als bei der EV beim Arbeitslosengeld (I) droht Ihnen bei Nicht-Einhaltung grundsätzlich eine Strafe – jedenfalls, wenn sie hierfür keinen wichtigen Grund hatten. In diesem Fall kann – bei einem ersten Verstoß gegen die Vereinbarung – Ihr ALG II für drei Monate um 30 Prozent gesenkt werden. Die Absenkung betrifft dabei nur den für Sie persönlich geltenden Regelsatz – und nicht Zahlungen für Angehörige oder die Miete (siehe Tipp 108).

Für welche Dauer gilt die EV?
Sie soll zunächst für die Dauer von zwölf Monaten abgeschlossen werden, ab 2007 für nur noch sechs Monate.

! Tipp 19
Termine mit dem Amt sind verbindlich

Wenn Sie auf Vorladungen nicht reagieren, drohen Strafen

Ob Sie zu einem Termin, zu dem Sie Ihr persönlicher Ansprechpartner eingeladen hat, erscheinen oder nicht, können Sie sich häufig nicht einfach aussuchen. Wenn Sie trotz einer Aufforderung und einer Belehrung über die Folgen nicht beim Job-Center oder zuständigen Amt erscheinen, müssen Sie mit einer Kürzung Ihrer Unterstützung rechnen. Das gilt auch, wenn Sie zu einem ärztlichen oder psychologischen Untersuchungstermin ohne wichtigen Grund nicht kommen.

Wenn Sie absehen können, dass Sie nicht rechtzeitig im Amt eintreffen, sollten Sie versuchen, bei Ihrem zuständigen Ansprechpartner im Amt anzurufen. Wenn Sie sich verspäten, sollten Sie auf jeden Fall noch am selben Tag bei ihm vorsprechen. Wenn Sie einen wichtigen Grund haben, nicht zum Amt zu kommen (etwa: Krankheit, Trauerfall, Gerichtstermin, Vorstellungsgespräch bei einem Arbeitgeber oder unvorhersehbarer Ausfall von Verkehrsmitteln), sollten Sie dies rechtzeitig mitteilen.
Falls Sie einen Termin ohne wichtigen Grund platzen lassen, wird Ihr ALG II um zehn Prozent abgesenkt – und zwar für drei Monate (siehe Tipp 108). Und: Falls Sie einen Zuschlag zum ALG II (siehe Tipp 47) erhalten, wird dieser ebenfalls für drei Monate gestrichen.

Tipp 20
Wer länger auf ALG II warten muss:
Abschlagszahlung möglich

Wie lang die Ämter künftig im Schnitt brauchen werden, um die Anträge auf ALG II zu bearbeiten, ist derzeit noch nicht klar. Mit Sicherheit benötigen sie aber mehrere Tage, möglicherweise auch Wochen. Und in schwierigen Einzelfällen wird es auch monatelang dauern, bis ein Antrag abschließend bearbeitet ist.
In der Wartezeit stehen die Antragsteller unter Umständen mittellos da. Gegebenenfalls kann ihnen dann aber eine Vorschusszahlung über die Runden helfen.
Wenn grundsätzlich klar ist, dass ein Anspruch auf ALG II besteht und nur zur »Feststellung seiner Höhe noch längere Zeit erforderlich ist«, können Antragsteller noch nach § 42 Abs. 1 des ersten Sozialgesetzbuchs (SGB I) Vorschusszahlungen erhalten. Ein Rechtsanspruch hierauf besteht, »wenn der Berechtigte dies beantragt«. Die Vorschusszahlung beginnt nach dem Gesetz »spätestens nach Ablauf eines Kalendermonats nach Eingang des Antrags«.
Auch wenn sich mehrere Leistungsträger – z. B. die Träger des ALG II, die Renten- oder die Krankenversicherung – darum streiten, wer zahlen muss, haben die Betroffenen ein Recht auf vorläufige Leistungen. Dann muss nach § 43 SGB I die Stelle vorläufig zahlen, die als erste angegangen worden ist. Wer finanziell in einer besonderen Notlage ist, sollte hierauf rechtzeitig – am besten schon bei der Abgabe seiner Antragsunterlagen – hinweisen und eine Vorschusszahlung beantragen.

Tipp 21
Kontrollbesuche nur mit Anmeldung

Wenn ein erheblicher Verdacht besteht, dass Angaben von ALG-II-Beziehern nicht stimmen, können diese auch per Hausbesuch vom Amt überprüft werden. Dies räumt die Bundesagentur für Arbeit (BA) auf Anfrage ein. Bislang würden die Arbeitsagenturen aber nur selten zur Kontrolle die Wohnungen der Hilfeempfänger aufsuchen, erklärt die BA. Es sei aber nicht ausgeschlossen, dass die Zahl der Kon-

trollen erhöht werde und sich der bisherigen Praxis der Sozialämter anpasse. Diese haben bislang weitaus häufiger Kontrollbesuche bei Hilfebeziehern vorgenommen.
»Was geht es das Amt an, wie es in meinen vier Wänden aussieht«, werden Viele sagen, die einen Antrag auf ALG II stellen. Allerdings: Eine »Augenscheinnahme« – also eine Überprüfung von anders nicht nachprüfbaren Angaben, die Sie im ALG-II-Antrag gemacht haben, durch Recherchen in Ihrer Wohnung – müssen Sie sich nach der herrschenden juristischen Meinung im Prinzip gefallen lassen.

Wehren Sie sich gegen den unangemeldeten Besuch

»Erfolgt der Hausbesuch unangemeldet oder unpassend, darf ihn der Hilfesuchende abweisen und einen neuen Termin vorschlagen.« Diese Meinung vertreten – wohl zu Recht – die Verfasser des Lehr- und Praxiskommentars Sozialhilfe. Dies gilt grundsätzlich auch für das ALG II. Es wäre allerdings fahrlässig, Ihnen deshalb den Tipp zu geben, einem unangemeldeten Besucher des Job-Centers oder zuständigen Amts die Tür vor der Nase zuzuschlagen. Im Amt wird man dann kaum annehmen, dass Sie sich aus Prinzip gegen einen Eingriff in Ihre Privatsphäre wehren, weil Ihnen die »eigenen vier Wände« heilig sind. Stattdessen wird bei Ihrem persönlichen Ansprechpartner in aller Regel sofort die Alarmglocke klingeln: »Die oder der hat etwas zu verbergen«, wird Ihnen wohl unterstellt werden.
Besser fahren Sie daher wahrscheinlich, wenn Sie auf einen unangemeldeten Besuch flexibler reagieren. Eine Möglichkeit: Machen Sie dem ungelegen kommenden Besucher vom Amt deutlich, dass Sie mit seinem »Überfall« nicht einverstanden sind. Lassen Sie ihn dann aber – wenn er denn darauf besteht – unter Protest in die Wohnung. Fragen Sie ihn in jedem Fall auch nach dem Grund des Besuchs und bitten Sie ihn zu erklären, warum dieser unangemeldet erfolgt. Wenn es Ihnen gerade nicht passt, weil Sie einen wichtigen Termin haben oder Ihr Kind von der Schule oder dem Kindergarten abholen müssen, dann sollten Sie ihm das auch klar sagen. Sie sollten aber dann auch sofort einen Termin für einen erneuten Besuch abmachen.
Egal, wie Sie mit einem unangemeldeten Kontrollbesuch umgehen: Wehren sollten Sie sich in jedem Fall. Denn nur Ihre Gegenwehr kann auf Dauer dazu beitragen, dass die zuständigen Ämter Sensibilität im Umgang mit den Persönlichkeitsrechten und der Intimsphäre ihrer Kunden entwickeln bzw. dass diese Sensibilität erhalten bleibt. Eine gute Adresse für die Gegenwehr ist in solchen Fällen der Landesdatenschutzbeauftragte. Einen solchen gibt es in jedem Bundesland. Die Datenschutzbeauftragten haben schon in einer Reihe von Fällen Ämter in ihre Schranken gewiesen. Schreiben Sie an den in Ihrem Bundesland zuständigen Beauftragten (Adressen finden Sie unter: www.datenschutz.bund.de) einen formlosen Brief, in dem Sie kurz darstellen, was Ihnen passiert ist und wie Sie sich bei dem unangemeldeten Besuch gefühlt haben. Bitten Sie ihn, zu prüfen, ob die Vorgehensweise des Amts rechtmäßig war.

Zweifelhafte Kontrollbesuche bekannt machen

Machen Sie eine zweifelhafte Kontrollbesuchs-Praxis von Ämtern im Zusammenhang mit dem neuen ALG II in Ihrem Ort bekannt! Suchen Sie deshalb auch die Beratungsstelle eines Wohlfahrtsverbands und – falls es so etwas in Ihrem Ort gibt – eine Arbeitsloseninitiative auf. Geben Sie ihnen eine Kopie Ihres Beschwerdebriefes an den Datenschutzbeauftragten. Und: Informieren Sie die Beratungsstellen später auch über dessen Antwort.

Kapitel C
Wer zur Bedarfs-, Haushalts- oder Wohngemeinschaft zählt

22

! Tipp 22
Überblick: Bedarfs-, Haushalts- oder Wohngemeinschaft – Wer gehört wozu?

Schon der Antrags-Fragebogen zum ALG II stiftet häufig Verwirrung: Da ist beispielsweise die Rede von »Bedarfs«- und »Haushaltsgemeinschaften«. Was ist damit gemeint? Und warum sind diese Unterscheidungen wichtig?

Die Leistungen nach dem SGB II werden – ganz anders als die Arbeitslosenhilfe – nicht für Einzelpersonen, sondern für Haushalte gewährt. Genauer gesagt: Es gibt sie für so genannte Bedarfsgemeinschaften. Dabei zählt – im rechtlichen Sinn – übrigens auch ein allein Lebender als »Bedarfsgemeinschaft«. Sofern im Haushalt mehrere Personen leben, dann bilden etwa allein Erziehende mit ihren minderjährigen Kindern eine solche Gemeinschaft, ebenso wie Ehepartner oder Partner einer »eheähnlichen Gemeinschaft« (siehe Tipp 25) und ihre minderjährigen Kinder. Sobald die Kinder volljährig sind, gehören sie nicht mehr zur Bedarfsgemeinschaft ihrer Eltern, unter Umständen aber zur »Haushaltsgemeinschaft« (siehe unten). Dennoch können auch die im Haushalt lebenden Kinder ab 18 Jahren gegebenenfalls ALG II erhalten. Sie müssen dann aber einen eigenen Antrag stellen, weil sie dann selbst als eigenständige Bedarfsgemeinschaft angesehen werden. Und sie müssen hilfebedürftig und erwerbsfähig sein (siehe Tipp 2). Selbst minderjährige Kinder werden manchmal nicht der Bedarfsgemeinschaft ihrer Eltern zugeschlagen. Dies ist beispielsweise dann der Fall, wenn die Betroffenen bereits ein Ausbildungsentgelt oder anderes Einkommen erhalten, das ihren eigenen Bedarf deckt (siehe Tipp 78).

Bedarfsgemeinschaft: Wer gehört dazu – und wer nicht?

Eine Bedarfsgemeinschaft bilden:
- allein Stehende,
- Ehepaare mit und ohne minderjährige(n) Kinder(n),
- allein Erziehende und ihre minderjährigen Kinder,
- eheähnliche Lebensgemeinschaften mit oder ohne minderjährige(n) Kinder(n).

Nicht zur Bedarfs-, möglicherweise aber zur Haushaltsgemeinschaft, gehören:
- minderjährige Kinder, die schon selbst ein Kind haben,
- minderjährige Kinder mit eigenem Einkommen, das ihren Bedarf deckt,
- volljährige Kinder,
- Verwandte und Eltern der ALG-II-Bezieher.

Umstritten ist häufig, wann Paare, die ohne Trauschein zusammenleben, eine Bedarfsgemeinschaft bilden. Dies ist nur dann der Fall, wenn die Gemeinschaft als »eheähnlich« anzusehen ist (siehe Tipp 25). Wenn eine Beziehung als »eheähnlich« gilt, bringt das für die Betroffenen meist Nachteile mit sich, es kann in einigen Fällen aber auch vorteilhaft sein (siehe Tipp 26).
Generell gilt: Alle Mitglieder der Bedarfsgemeinschaft müssen ihr Einkommen und Vermögen anrechnen lassen (siehe Kapitel F und G). Die Ämter ermitteln dann das Gesamt-Einkommen und -Vermögen und prüfen, ob dieses nach den gesetzlichen Maßstäben über oder unter dem (lebens-)notwendigen Bedarf liegt. Wenn es zu niedrig ist, gibt es ALG II und Sozialgeld.

Haushaltsgemeinschaften

Verwandte, die mit der Bedarfsgemeinschaft zusammen in einem Haushalt leben, werden zur so genannten Haushaltsgemeinschaft gerechnet. Dazu können beispielsweise erwachsene Kinder oder die Eltern und Geschwister von ALG-II-Beziehern gehören (siehe Tipp 23). In der Regel vermuten die Ämter, dass Mitglieder einer Haushaltsgemeinschaft die Bedarfsgemeinschaft finanziell unterstützen – und kürzen deshalb die Leistungen an die Hilfebedürftigen. Diese Vermutung kann aber widerlegt werden (siehe Tipp 24).

Wohngemeinschaften

Wenn Menschen zusammenleben, die nicht miteinander verwandt sind und auch keine eheähnliche Gemeinschaft bilden, dann ist dies rechtlich eine »Wohngemeinschaft«. Jedes Mitglied einer Wohngemeinschaft bildet nach dem zweiten Sozialgesetzbuch seine eigene Bedarfsgemeinschaft und kann – bei Bedürftigkeit – individuell einen Antrag auf ALG II stellen. Ob die Mitbewohner arm oder reich sind, hat die Ämter dabei nicht zu interessieren – noch nicht einmal die Namen der Mitbewohner muss man mitteilen (siehe Tipp 27).

! Tipp 23

Auch wenn Verwandte bei Ihnen wohnen:

Eine Haushaltsgemeinschaft besteht nicht immer

Zur so genannten Bedarfsgemeinschaft nach dem zweiten Sozialgesetzbuch gehören in der Regel nur (Ehe-)Paare mit oder ohne minderjährige Kinder (siehe Tipp 22). Was ist aber, wenn im Haushalt noch andere Personen leben?
§ 9 Abs. 5 des zweiten Sozialgesetzbuchs bestimmt: »Leben Hilfebedürftige in Haushaltsgemeinschaft mit Verwandten oder Verschwägerten, so wird vermutet, dass sie von ihnen Leistungen erhalten, soweit dies nach deren Einkommen und Vermögen erwartet werden kann.« Grundsätzlich kann damit Einkommen der Mitbewohner auf das ALG II und Sozialgeld, das die Bedarfsgemeinschaft erhält, angerechnet werden. Es kann also passieren, dass die Bedarfsgemeinschaft dann weniger Geld erhält.

Dies geht allerdings nur dann, wenn es sich beim Zusammenleben mit dem oder der Verwandten oder Verschwägerten tatsächlich um eine Haushaltsgemeinschaft handelt. Das sollten Betroffene in jedem Fall zunächst einmal abklären. Eine Haushaltsgemeinschaft im Sinne des Gesetzes besteht nur, wenn alle folgenden Fragen mit »Ja« beantwortet werden müssen:

Sind Sie mit Ihren Mitbewohnern verwandt oder verschwägert?

23

Die Verwandtschaft wird im § 1589 des Bürgerlichen Gesetzbuches (BGB) so definiert: »Personen, deren eine von der anderen abstammt, sind in gerader Linie verwandt. Personen, die nicht in gerader Linie verwandt sind, aber von derselben dritten Person abstammen, sind in der Seitenlinie verwandt.«
Verwandt sind Sie demnach unter anderem mit Ihren Eltern und Kindern, (Ur-)Großeltern und (Ur-)Enkelkindern, Onkeln und Tanten sowie Nichten und Neffen und Geschwistern. Auch Pflegeeltern und Pflegekinder zählen zur Verwandtschaft. Verschwägert sind die entsprechenden Verwandten Ihres Ehepartners – und zwar auch dann, wenn die Ehe geschieden ist: »Die Schwägerschaft dauert fort, auch wenn die Ehe, durch die sie begründet wurde, aufgelöst ist«, bestimmt § 1590 Abs. 2 des BGB.
Falls Sie nicht mit Ihrem Mitbewohner oder Ihrer Mitbewohnerin verwandt oder verschwägert sind, handelt es sich allenfalls um eine Wohngemeinschaft. Dabei unterstellen die Ämter keine gegenseitige Unterstützung. Sie gehen allerdings grundsätzlich davon aus, dass hier die Miete unter den Bewohnern geteilt wird (siehe unten).

Leben Sie überhaupt in einer gemeinsamen Wohnung?

Wenn in einem Haus Verwandte jeweils in eigenen Wohnungen leben, kann nicht von einer Haushaltsgemeinschaft im Sinne des SGB II die Rede sein. Falls beim zuständigen Amt Zweifel daran aufkommen, sollten Sie belegen, dass es sich um getrennte Wohnungen handelt.

Wirtschaften Sie »aus einem Topf«?

Wenn Sie mit Verwandten eine Wohnung teilen, gilt das nach dem Gesetz nur dann als Haushaltsgemeinschaft, wenn Sie »aus einem Topf« wirtschaften. Ist dies nicht der Fall, sollten Sie dies dem Amt gegenüber klarstellen. Sinnvoll ist es dabei beispielsweise, wenn Sie dem Amt einen Untermietvertrag (siehe Tipp 37) vorlegen. Darin kann auch die gemeinsame Nutzung von Küche und Bad vereinbart werden. Der Betrag, den Sie als Untermiete von Ihren Verwandten erhalten, wird mit Ihren Leistungsansprüchen verrechnet. Sie erhalten dann also entsprechend weniger Geld vom Amt. Falls Sie keinen Untermietvertrag abgeschlossen haben, unterstellt das Amt, dass ein »Mitbewohner« sich mit seinem »Kopfanteil« an der Miete beteiligt – bei fünf Personen, die sich die Wohnung teilen, also mit einem Fünftel.
Wenn Verwandte oder Verschwägerte, mit denen Sie die Wohnung teilen, allerdings ohnehin nur über ein Einkommen verfügen, das – nach Abzug der Miete – nicht höher als etwa 700 € ist, lohnt es sich für Sie nicht, mit dem Amt zu streiten, ob »aus einem Topf« gewirtschaftet wird oder nicht. Denn in diesem Fall wird ohnehin nicht unterstellt, dass der Betreffende Sie unterstützt (siehe Tipp 24).

Haushaltsgemeinschaft: Wann besteht sie – und wann nicht?

Beispiel 1: Der 18-jährige Auszubildende Lars B. wohnt noch bei seinen Eltern – zusammen mit seinem 14-jährigen Bruder. Lars wird – genau wie sein Bruder – von den Eltern versorgt.

Zur Bedarfsgemeinschaft gehören nur die Eltern und ihr 14-jähriger Sohn. Lars B. bildet aber zusammen mit diesen eine Haushaltsgemeinschaft. Das zuständige Amt wird zunächst unterstellen, dass Lars die Bedarfsgemeinschaft finanziell unterstützt. Das wird der Azubi allerdings schnell widerlegen können, wenn er offen legt, wie wenig Ausbildungsentgelt er bekommt (siehe Tipp 24).

Beispiel 2: Die vierköpfige Familie M. (Vater, Mutter, zwei Kinder unter 18 Jahren) teilt sich ihre Wohnung mit Frau K., der Schwester von Frau M. Frau K. trägt einen Teil der Mietkosten und beteiligt sich an der Haushaltskasse. Die Küche wird gemeinsam genutzt und man isst meist gemeinsam.

Frau K. bildet mit der vierköpfigen Familie M. (der Bedarfsgemeinschaft) eine Haushaltsgemeinschaft. Es stellt sich allerdings die Frage, ob Frau K. Familie M. unterstützen kann und ob sie es tatsächlich tut (siehe Tipp 24).

Beispiel 3: Hier verhält sich alles wie in Beispiel 2. Nur wird hier nicht zusammen »aus einem Topf« gewirtschaftet. Frau K. hat vielmehr einen Untermietvertrag für ihr Zimmer und die Mitbenutzung von Bad und Küche abgeschlossen. Nur an besonderen Festtagen isst Frau K. gemeinsam mit Familie M und beteiligt sich dann auch an den Kosten für die Mahlzeit.

Hier handelt es sich um keine Haushaltsgemeinschaft. Dies muss allerdings gegenüber dem zuständigen Amt deutlich gemacht werden.

Beispiel 4: Vier junge Leute – darunter ein Arbeitsloser – wohnen zusammen, haben eine gemeinsame Haushaltskasse und wirtschaften »aus einem Topf«

In diesem Fall handelt es sich dennoch nicht um eine Haushaltsgemeinschaft im Sinne des SGB II. Denn dafür müssten die gemeinsam Wohnenden miteinander verwandt oder verschwägert sein. Das sind sie aber nicht. Es handelt sich deshalb um eine Wohngemeinschaft (siehe Tipp 27).

!

Tipp 24

Auch wenn Verwandte in Ihrem Haushalt leben:

Diese müssen Sie nicht unbedingt unterstützen

Wenn klar ist, dass Sie gemeinsam mit Verwandten oder Verschwägerten eine Haushaltsgemeinschaft führen (siehe Tipp 23), vermutet der Gesetzgeber, dass Sie von diesen finanziell unterstützt werden. Dies gilt allerdings nur »soweit dies nach deren Einkommen und Vermögen erwartet werden kann«. Deshalb müssen zunächst die folgenden beiden Fragen beantwortet werden:

24

1. Haben die Verwandten überhaupt genügend Geld, um Sie zu unterstützen?

Dass die Verwandten an den Ausgaben der Haushaltsgemeinschaft beteiligen, kann nur dann unterstellt werden, wenn diese dazu finanziell überhaupt in der Lage sind. Die Arbeitslosengeld II / Sozialgeld-Verordnung des Bundesministerium für Wirtschaft und Arbeit vom 29. September 2004 sieht dazu folgende Regelung vor: Es wird nur dann vermutet, dass Verwandte oder Verschwägerte ihre Angehörigen unterstützen, wenn diese als »bereinigtes Einkommen« (siehe Kapitel G) mehr als das Doppelte des Regelbedarfs (siehe Tipp 28) zuzüglich der Unterkunftskosten zur Verfügung haben.
Dazu ein *Beispiel:* Eine Rentnerin lebt mit ihrem Sohn, dessen Ehefrau und deren beiden Kindern – letztere bilden die Bedarfsgemeinschaft – zusammen in einer Haushaltsgemeinschaft in Düsseldorf zusammen. Die Gesamtkosten für Miete und Heizung betragen 1000 €. Geprüft wird, ob das Einkommen der Rentnerin so hoch ist, dass sie die Bedarfsgemeinschaft unterstützen kann. Die »Unterstützungsgrenze« – also die Einkommensgrenze, ab der erwartet werden kann, dass sie ihren Angehörigen finanziell unter die Arme greifen kann – berechnet sich folgendermaßen:

2 x maßgeblicher Regelsatz (345 €)	690 €
anteilige Miet- und Heizkosten (ein Fünftel der Warmmiete)	+ 200 €
Unterstützungsgrenze	= **890 €**

Die Rentnerin verfügt über ein Einkommen von 1200 €. Davon verbleiben nach Abzug verschiedener Freibeträge (siehe Tipps 80 und 82) als »bereinigtes« Einkommen 1100 €. Ihr anrechenbares Einkommen liegt damit um genau 210 € über der »Unterstützungsgrenze«. Die ALG-II-Verordnung unterstellt nun, dass sie die Bedarfsgemeinschaft monatlich mit der Hälfte dieses Betrags – also mit 105 € – unterstützen kann.

2. Unterstützen die Verwandten die Bedarfsgemeinschaft tatsächlich?

ALG-II-Empfänger sind keinesfalls verpflichtet, den zuständigen Ämtern Angaben über das Einkommen oder Vermögen der bei ihnen lebenden Verwandten oder Verschwägerten vorzulegen. In vielen Fällen wissen sie ja auch gar nicht über deren Einkommensverhältnisse Bescheid. Falls sie jedoch bei der Abgabe ihres ALG-II-Fragebogens Unterlagen über das Einkommen ihrer Verwandten vorlegen, wird das Amt schematisch wie oben beschrieben vorgehen: Die mit der Rentnerin zusammenlebende Familie wird dann monatlich 105 € weniger ALG II und Sozialgeld bekommen. Es wird dann einfach vermutet, dass die Bedarfsgemeinschaft diesen Betrag jeden Monat von der Rentnerin erhält – auch dann, wenn dies gar nicht zutrifft. Diese Vorgehensweise schreibt das Gesetz vor.
Die Vermutung von regelmäßigen Geldzahlungen ihrer Verwandten können die betroffenen Bedarfsgemeinschaften allerdings entkräften. In den Durchführungshinweisen der Arbeitsagenturen heißt es hierzu: »Der Hilfebedürftige kann jederzeit durch einfache Erklärung die Vermutung widerlegen.«
Falls bei ihnen lebende Verwandte oder Verschwägerte keine Unterstützung zahlen, müssen ALG-II-Empfänger also lediglich klar und eindeutig erklären: »Die bei

mir / uns lebende XY unterstützt mich / uns finanziell nicht.« Diese Erklärung geben sie in einem solchen Fall am besten bereits bei der ALG-II-Antragstellung schriftlich ab. Es dürfen auch keine detaillierten Angaben über die Einkommens- und Vermögensverhältnisse der jeweiligen Verwandten oder Verschwägerten verlangt werden. Dieses Verfahren ist auch deshalb so einfach ausgestaltet, weil eine Überprüfung der Einkommens- und Vermögensverhältnisse der Angehörigen, die mit der Bedarfsgemeinschaft »aus einem Topf« wirtschaften, das Zusammenleben der Betroffenen unter Umständen gefährden könnte. Genau das ist aber nicht die Absicht des Gesetzgebers. In der Begründung zur Arbeitslosengeld II / Sozialgeld-Verordnung heißt es deshalb: Leistungen können nur dann erwartet werden, wenn »die Haushaltsgemeinschaft durch die Heranziehung nicht zerstört wird«.

Tipp 25

Wenn unverheiratete Paare zusammenleben:

Nicht alle Beziehungen sind »eheähnlich«

»Wenn ich mit meinem Freund zusammenlebe, gilt das als ‚eheähnlich', und dann muss ich im Fragebogen zum ALG II auch ‚eheähnlich' ankreuzen, andernfalls mache ich falsche Angaben.« So schildert Elvira S. aus Erfurt, was sie von der telefonischen Hotline der Arbeitsagentur erfahren hat. Sie selbst sieht ihr Verhältnis zu ihrem Freund allerdings gar nicht wie eine Ehe an. Was soll sie deshalb im Fragebogen unter der Rubrik »Familienstand« ankreuzen?
Niemand kann besser einschätzen als Frau S., ob ihre Beziehung eheähnlich ist oder nicht. Deshalb spricht überhaupt nichts dagegen, wenn sie im Antragsformular bei der Frage nach ihrem Familienstand lediglich das Kästchen »ledig« ankreuzt – sofern sie die Beziehung zu ihrem Partner nicht als eheähnlich einschätzt. Falls ihr Freund sich allerdings an der Miete beteiligt, muss die Erfurterin gegenüber der Behörde den vom Mitbewohner getragenen Mietanteil benennen oder seine Untermietzahlungen als Einkommen angeben (siehe Tipp 27). Denn durch solche Zahlungen mindern sich die monatlichen Überweisungen der Ämter für Wohn- und Heizkosten.

Folgen der »Eheähnlichkeit« für das ALG II

Wenn Sie in einer eheähnlichen Beziehung, Ehe oder eingetragenen Lebenspartnerschaft (»Homo-Ehe«) leben, wird Ihr Bedarf als niedriger eingeschätzt:

- Statt des Regelbedarfs für Ledige steht Ihnen dann nur der Satz zu, der für (Ehe-)Partner gilt – und das sind 33 bzw. 34 € weniger (siehe Tipp 28).
- Wenn Sie Kinder haben, geht Ihnen unter Umständen auch der Mehrbedarf für allein Erziehende verloren – dieser macht immerhin bis zu 207 € monatlich aus (siehe Tipp 30).

Zudem werden Einkommen und Vermögen beider Partner dann zusammengerechnet. Hat Ihr Partner ein höheres Einkommen oder Vermögen, so entfällt Ihr Anspruch auf ALG II unter Umständen ganz. Im Einzelfall kann die Zusammenrechnung des Vermögens allerdings auch Vorteile bringen (siehe Tipp 26).

25

Zur Frage der Eheähnlichkeit gibt es eine höchstrichterliche Rechtsprechung seitens des Bundesverfassungsgerichts, die seit 1992 unverändert gilt: Danach wird längst nicht jedes unverheiratete Zusammenleben von Mann und Frau einer Ehe gleichgestellt. Auf die gemeinsame Nutzung von Tisch und Bett kommt es nicht an. Entscheidend ist vielmehr, dass die Lebensgemeinschaft eines Mannes und einer Frau »auf Dauer angelegt ist« und »daneben keine weitere Lebensgemeinschaft gleicher Art zulässt« sowie »die Bindungen der Partner so eng sind, dass von ihnen ein gegenseitiges Einstehen in den Not- und Wechselfällen des Lebens erwartet werden kann« (Aktenzeichen: 1 BvL 8/87). Nur wenn sich beide »so sehr füreinander verantwortlich fühlen, dass sie zunächst den gemeinsamen Lebensunterhalt sicherstellen, bevor sie ihr persönliches Einkommen zur Befriedigung eigener Bedürfnisse verwenden«, seien sie mit Ehegatten vergleichbar. Ob solche engen Bindungen vorhanden sind, kann nach Meinung der Richter anhand von Indizien überprüft werden. Für die Eheähnlichkeit spricht:

- Beide leben schon lange zusammen.
- Sie versorgen Kinder oder Angehörige im gemeinsamen Haushalt.
- Der eine hat das Recht, auch über das Einkommen des anderen zu verfügen.

Übrigens: Gleichgeschlechtliche Paare gelten nach dem Gesetz nur dann als Bedarfsgemeinschaften, wenn es sich bei der Beziehung um eine eingetragene Lebenspartnerschaft (»Homo-Ehe«) handelt.

Die Ämter müssen die »Eheähnlichkeit« nachweisen

Zurück zu Elvira S.: Natürlich kann das zuständige Amt sich auf den Standpunkt stellen, in ihrem Fall liege eine eheähnliche Gemeinschaft vor. Dafür müsste es aber handfeste Fakten ins Feld führen können. Etwa: Frau S. und ihr Freund haben gemeinsame Konten. Oder: Sie haben sich wechselseitig die Verfügungsberechtigung über ihre Konten gegeben. Oder: Sie haben gemeinsame Kinder. Wenn die Ämter solche harten Fakten nicht vorweisen können, müssen sie akzeptieren, dass die Beziehung nicht eheähnlich ist.

Manche Ämter versuchen aber, die so genannte Beweislast für »Eheähnlichkeit« umzukehren. Die Betroffenen sollen dann nachweisen, dass ihre Beziehung nicht eheähnlich ist. Das ist aber nicht statthaft, urteilten immer wieder die Gerichte.

So beschäftigte sich beispielsweise am 2. Januar 2002 das Oberverwaltungsgericht Schleswig mit einem solchen Fall (AZ: 2 M 104 / 01). Es ging um eine Sozialhilfe-Antragstellerin, die – unbestritten – eine Beziehung zu »Herrn B.« hatte. Das örtliche Sozialamt zog daraus die Schlussfolgerung, das Einkommen von Herrn B. »anspruchsmindernd« zu berücksichtigen. Das dürfe es aber nicht, urteilte das Gericht: Zwar bestehe zwischen der Sozialhilfeempfängerin und Herrn B. »wahrscheinlich eine Wohngemeinschaft«. Daraus lasse sich jedoch »nicht mit der hinreichenden Sicherheit folgern, dass auch eine Wirtschaftsgemeinschaft« besteht. Noch weniger sei zu belegen, dass die vom Bundesverfassungsgericht geforderte »Verantwortungs- und Einstehensgemeinschaft« vorliegt. Die Beziehung sei nicht derart belastbar, dass die Hilfebezieherin von Herrn B. Unterhaltszahlungen erwarten könne.

Das Sozialamt hielt dagegen, dass das Amt kaum feststellen könne, wie die persönliche Beziehung des nicht verheirateten Paars beschaffen sei und dass das Paar daher nachzuweisen habe, dass seine Beziehung eben nicht eheähnlich sei. Auch das sei nicht statthaft, stellte das Gericht fest. Zwar falle es in der Tat den Ämtern schwer, das Vorhandensein einer eheähnlichen Gemeinschaft nachzuweisen. Daraus könne allerdings nicht die Schlussfolgerung gezogen werden, »dass die Nachweis- bzw. Beweislast dem hilfesuchenden Sozialhilfeempfänger übergebürdet wird«. Vielmehr müsse umgekehrt das Amt belegen, dass die Gemeinschaft eheähnlich ist. Dass so mitunter das Vorliegen einer eheähnlichen Gemeinschaft nicht festgestellt werden könne, obwohl eine solche vorliege, sei die »konsequente Folge der durch die angeführte höchstrichterliche Rechtsprechung ausgedeuteten Rechtslage«, womit das Gericht auf das oben angeführte Urteil des Bundesverfassungsgerichts verwies.

Eheähnlichkeit lässt sich kaum per Hausbesuch ermitteln

Die Beweislast für die Existenz einer eheähnlichen (Bedarfs-)Gemeinschaft liegt damit eindeutig beim Amt. Dieses muss belegen, dass die Beziehung ähnlich wie eine Ehe ist – auch wenn ihm ein solcher Nachweis schwer fällt.
Auch vor einem (angemeldeten!) Hausbesuch von Mitarbeitern der Behörde muss Elvira S. übrigens keine Angst haben. Es wäre dabei völlig unnötig, die Zahnbürste ihres Freundes und dessen Rasierzeug aus dem Badezimmer zu entfernen. Denn auf die gemeinsame Nutzung der Wohnung kommt es nicht an. Was zählt, ist die innere Bereitschaft der Partner, füreinander einzustehen. Ob diese vorhanden ist, lässt sich beim Kontrollbesuch wohl kaum feststellen.

!

Tipp 26

Wenn der Partner kaum Rücklagen hat:

»Eheähnlichkeit« kann auch Vorteile bringen

Gerade in den neuen Bundesländern scheinen viele Arbeitsagenturen und kommunale Sozialämter ganz wild darauf zu sein, Beziehungen von nicht verheirateten Frauen und Männern als »eheähnlich« einzustufen. Allerdings: Manchmal kann diese Einstufung für die Betroffenen sogar Vorteile bringen. Das gilt dann, wenn ein Partner recht viel und der andere wenig oder gar kein Vermögen hat.
Paare, die »eheähnlich« zusammenleben, werden nämlich auch bei der Vermögensanrechnung beim ALG II genauso behandelt wie Ehepaare. Das bedeutet: Ihre Ersparnisse und (Alters-)Rücklagen werden zusammengerechnet. Das muss dann aber auch für die Vermögensfreibeträge gelten – was manchmal von Vorteil sein kann. So kann beispielsweise eine Frau mit recht hohen Ersparnissen nicht ausgeschöpfte Vermögensfreibeträge ihres Freundes ausnutzen, mit dem sie in eheähnlicher Gemeinschaft lebt.
Dazu ein *Beispiel:* Petra S. und Hans P. leben ohne Trauschein zusammen. Die 45-jährige Petra S. hat Rücklagen in Höhe von insgesamt 25 000 €. Das sind 6250 € zu viel. Denn ihr stehen – einschließlich der vom Amt zu berücksichtigen Rücklagen fürs Alter – höchstens 18 750 € Schonvermögen zu (siehe Kapitel F). Wenn Sie mit ihrem Freund in einer nicht-eheähnlichen Wohngemeinschaft leben würde, ginge sie deshalb beim ALG II leer aus.

Doch sie lebt in eheähnlicher Gemeinschaft mit Hans P. Er ist – wie Petra S. – ohne Arbeit ist und hat, anders als sie, mit nur 3000 € kaum Ersparnisse. Dabei ständen ihm als 50-Jährigem insgesamt 20750 € für allgemeines und Alters-Schonvermögen zu. Seine Vermögensfreibeträge sind also bei weitem nicht ausgeschöpft (17750 € sind noch frei). Das nützt aber seiner Lebenspartnerin Petra S. Denn sie kann ihre überschüssigen 6250 € auf die nicht ausgeschöpften Freibeträge ihres eheähnlichen Partners anrechnen lassen. Die Folge: Ihre Ersparnisse stehen damit einem ALG-II-Anspruch nicht entgegen.

Wichtig für Petra S. ist außerdem: Um von den Freibeträgen von Hans P. zu profitieren, muss sie Ihre Rücklagen nicht tatsächlich mit diesem – rechtlich – teilen. Die Ersparnisse können weiterhin ihr Eigentum bleiben.

Übrigens: Kinder und Eltern können nicht ausgeschöpfte Vermögensfreibeträge nicht miteinander verrechnen – anders als Ehe- oder eheähnliche Partner (siehe Tipp 56).

!

Tipp 27

Bei Wohngemeinschaften:

Namen, Einkommen und Vermögen von Mitbewohnern sind tabu

Wer als Single in einer Wohngemeinschaft (WG) lebt, gilt nach dem zweiten Sozialgesetzbuch grundsätzlich als allein stehend. Er bildet für sich eine so genannte Bedarfsgemeinschaft und kann für sich alleine einen Antrag auf ALG II stellen. Das Einkommen und Vermögen der Mitbewohner darf nicht berücksichtigt werden.

Mitgliedern einer Wohngemeinschaft steht daher nach dem zweiten Sozialgesetzbuch – soweit sie ohne Ehepartner oder eheähnlichen Partner in der WG leben – der volle Regelsatz für allein Stehende zu: Das sind 345 € in den alten und 331 € in den neuen Bundesländern. (Ehe-)Paaren, die mit anderen in einer Wohngemeinschaft zusammenleben, stehen monatlich 622 € in den alten bzw. 598 € in den neuen Bundesländern zu.

Ausnahmen gelten allerdings für die häufig in WGs lebenden Studenten: Wer studiert, kann nämlich – bei »Bedürftigkeit« – grundsätzlich BAföG erhalten. Das SGB II schließt für Studierende daher den Bezug von ALG II aus.

Mitglieder einer Wohngemeinschaft brauchen übrigens keine Auskunft zu Namen und Vermögen ihrer Mitbewohner zu geben. Das hat das Bundesverfassungsgericht am 2. September 2004 in einem Beschluss zur Datenerhebung für das Arbeitslosengeld (ALG) II ausdrücklich klargestellt (Az. 1 BvR 1962/04): Danach gehen die persönlichen Verhältnisse eines nicht hilfebedürftigen Mitbewohners einer Wohngemeinschaft die Behörden nichts an. Bezieher von ALG II hätten »keine Auskunftspflichten über die persönlichen Verhältnisse eines bloßen Mitbewohners«, urteilten die Verfassungsrichter. Der Hilfebedürftige müsse auch nicht angeben, wer bei ihm als Mit- oder Untermieter wohnt. Es reiche, wenn er gegenüber der Behörde den vom Mitbewohner »getragenen Mietanteil benennt oder die Untermietzahlungen als Einkommen angibt«. Denn durch solche Zahlungen mindern sich die monatlichen Überweisungen von den Ämtern für Wohn- und Heizkosten (siehe Tipp 33).

Kapitel D
Wer wie viel bekommt

! Tipp 28
Welche Regelleistungen die Ämter zahlen – ein Überblick

28

Jedem Hilfebedürftigen in einer Bedarfsgemeinschaft steht zunächst eine »Regelleistung zur Sicherung des Lebensunterhalts« zu. Diese nennt sich bei Erwerbsfähigen (zwischen 15 und 64 Jahren) Arbeitslosengeld II und bei Nicht-Erwerbsfähigen (unter 65) Sozialgeld (siehe Tipp 1). Für die Höhe der Leistung macht es keinen Unterschied, ob es sich um Sozialgeld oder Arbeitslosengeld II handelt.
Die Regelleistung für allein Stehende beträgt in den alten Bundesländern einschließlich Berlin 345 €. In den neuen Ländern sind es 331 €. Ehe- und eheähnliche Paare (siehe Tipp 25) erhalten zwei mal 90 Prozent dieses Satzes. In den alten Ländern kommen dabei 622 €, in den neuen 596 € zusammen. Für Kinder gibt es zusätzliche Beträge. Deren Höhe richtet danach, ob die Kinder über oder unter 14 Jahren alt sind und ob sie in den neuen oder alten Bundesländern leben (siehe Tabelle). Volljährige erwerbsfähige Kinder im Haushalt haben einen eigenständigen Anspruch auf ALG II (siehe auch Tipps 22 und 23). Ihnen steht dann derselbe Regelsatz wie allein Stehenden zu.

Die Regelleistungen Arbeitslosengeld II und Sozialgeld (bis 30. 6. 2005)

	Allein Stehende und allein Erziehende	(Ehe-)Paare	Kinder unter 14 Jahren	Kinder von 14–17 Jahren
Regelleistung	100 %	2 x 90 %	60 %	80 %
Alte Länder einschließlich Berlin	345 €	2 x 311 € = 622 €	207 €	276 €
Neue Länder	331 €	2 x 298 € = 596 €	199 €	265 €

Aus der Tabelle geht hervor: Einem Ehepaar mit zwei Kindern, die beide unter 14 Jahre alt sind, stehen in den alten Bundesländern Regelleistungen in Höhe von insgesamt 1036 € zu. In den neuen Bundesländern sind es 994 €.
Die hier genannten Beträge gelten zunächst bis zum 30. Juni 2005. Die Regelbeträge werden jährlich zum 1. Juli angepasst. Dabei werden sie um den Prozentsatz fortgeschrieben, »um den sich der aktuelle Rentenwert in der gesetzlichen Rentenversicherung verändert«. Dies bestimmt § 20 Abs. 4 SGB II. Zum 1. Juli 2005 ist allenfalls mit einer minimalen Erhöhung des Rentenwerts zu rechnen, daher werden sich dann auch die Regelleistungen beim ALG II und beim Sozialgeld kaum verändern.

Durch die Regelleistungen sollen »Ernährung, Kleidung, Körperpflege, Hausrat, Bedarfe des täglichen Lebens sowie in vertretbarem Umfang auch Beziehungen zur Umwelt und eine Teilnahme am kulturellen Leben« abgedeckt sein. Das bestimmt § 20 Abs. 1 des zweiten Sozialgesetzbuchs. Die Kosten für Strom, (Warm-)Wasser sowie für Telefon sind deshalb – so sieht es jedenfalls der Gesetzgeber – in den Regelleistungen bereits enthalten. Die Elektrizitäts-, Wasser- und Telefonrechnungen müssen Hilfeempfänger damit aus den Regelleistungen bezahlen.

Wohnungskosten werden erstattet

Zum Bedarf nach dem SGB II zählen auch die »angemessenen« Kosten für die Unterkunft. In der Regel müssen bei Mietern zunächst die vollen Kosten für die Wohnung und Heizung getragen werden (siehe Tipps 33 bis 37). Auch wer Mietschulden hat, kann Hilfe erhalten (siehe Tipp 38).
Bei Eigentümern übernehmen die Ämter – neben den Heizkosten – Zahlungen für bestimmte Belastungen wie etwa Hypothekenzinsen und Grundsteuern, nicht aber die Tilgung von Krediten (siehe Tipp 39).

Manchmal gibt es zusätzlich Geld für »Mehrbedarf«

Einigen Gruppen von Hilfeempfängern – beispielsweise allein Erziehenden – steht neben den Regelsätzen und der Übernahme von Wohnkosten noch ein so genannter Mehrbedarf zu. Wann dies der Fall ist, steht in den Tipps 29 bis 32.

Zuschlag zum ALG II

In manchen Fällen steht Leistungsempfängern, die vorher das reguläre Arbeitslosengeld (I) erhalten hatten, auch ein befristeter Zuschlag zum ALG II zu. Dadurch soll der »Absturz« vom Arbeitslosengeld (I) zum ALG II abgefedert werden. Wann das der Fall ist und für wen es dann wie viel extra gibt, steht in den Tipps 47 bis 49.

Einmalige Leistungen in Sondersituationen

Die bisher aufgeführten Leistungen zahlen die Ämter – so lange Anspruch hierauf besteht – regelmäßig Monat für Monat. Daneben gibt es weiterhin einige einmalige Beihilfen, etwa für die Ersteinrichtung einer Wohnung oder für mehrtägige Klassenfahrten von Schulkindern. Mehr Informationen darüber gibt es in den Tipps 42 bis 45.

Eigene Einkommen reduzieren Ansprüche

Die Leistungen nach dem SGB II definieren eine »Grundsicherung«, die jedem Hilfesuchenden zustehen soll. Soweit das eigene Einkommen der Bedarfsgemeinschaft nicht ausreicht, stocken die Ämter die Einkünfte auf das gesetzlich vorgesehene Grundsicherungsniveau auf. Das bedeutet aber auch: Alle anrechenbaren Einkünfte der Bedarfsgemeinschaft führen dazu, dass die Ämter weniger oder gar nichts auszahlen. Wie die Anrechnung von Einkünften funktioniert, steht in Kapitel G.

Keine Leistungen für Vermögende

Auch Ersparnisse und Vermögen können dazu führen, dass es (zeitweise) kein ALG II und Sozialgeld gibt – selbst dann, wenn die gesamte Bedarfsgemeinschaft überhaupt kein eigenes Einkommen hat. Welches und wie viel Vermögen erlaubt ist, steht in Kapitel F.

Bedarf minus Einkommen – So viel zahlt Ihnen das Amt:

So errechnet sich Ihr Bedarf:

Regelsätze (siehe Tabelle auf Seite 53)	+ ________	
Mehrbedarfszuschläge (siehe Tipps 29 bis 32)	+ ________	
Wohn- und Heizkosten (siehe Tipps 33 bis 41)	+ ________	
	Summe:	________

So errechnet sich der zu zahlende Betrag:
Von Ihrem »Bedarf« wird das komplette anrechenbare Einkommen (siehe Kapitel G) der Bedarfsgemeinschaft abgezogen. Den Unterschiedsbetrag überweist das zuständige Amt monatlich.

29

! Tipp 29 Schwangere bekommen höhere Leistungen

In einigen Lebenslagen sieht das Gesetz einen Zuschlag zu den Regelsätzen vor. Die dafür ausschlaggebenden Bestimmungen sind weitgehend aus dem Sozialhilferecht übernommen, zum Teil aber auch geändert worden.
Erwerbsfähige Schwangere erhalten von der 13. Schwangerschaftswoche an einen Zuschlag von 17 Prozent ihrer individuellen Regelleistung. Dazu ein *Beispiel:* Eine werdende Mutter, die mit ihrem (Ehe-)Partner in den alten Bundesländern zusammenlebt, kann als monatliche Regelleistung 311 € beanspruchen (siehe Tabelle auf Seite 53). 17 Prozent davon sind (gerundet) 53 €. Dieser Betrag wird ab der 13. Schwangerschaftswoche als Mehrbedarfszuschlag pro Monat gezahlt. In den neuen Bundesländern sind es 51 €.

Mehrbedarfszuschlag für Schwangere

	Neue BL	Alte BL
Die Schwangere lebt mit (Ehe-)Partner zusammen	51 €	53 €
Die Schwangere ist allein stehend	56 €	59 €

Mutterpass vorlegen

Wer denkt, die Schwangerschaft ginge das Amt nichts an, verschenkt bares Geld. Den Zuschlag gibt es nämlich nur, wenn man das Amt über die Schwangerschaft informiert. Schwangere legen dem Amt am besten rechtzeitig ihren Mutterpass vor. Dort sollte der Frauenarzt in der Regel auf Seite 6 den Konzeptionstermin (also den Tag der voraussichtlichen Empfängnis) bzw. den berechneten Entbindungstag eingetragen haben.

Erstbedarf für Kinder- und Schwangerschaftskleidung

Schwangere brauchen den Mehrbedarf, den sie beanspruchen können, nicht für Schwangerschaftskleidung und den Grundbedarf des Neugeborenen zu verwenden. Hierfür gibt es so genannte einmalige Beihilfen (siehe Tipps 42 bis 45).

Tipp 30
Zuschlag für allein Erziehende: Zwischen 12 und 60 Prozent mehr

Mehr monatliches Arbeitslosengeld II steht auch allein Erziehenden zu. Mit dem zusätzlichen Geld, das die Ämter zahlen, sollen die Betroffenen sich (z. B. durch Babysitter oder Tagesmütter) Entlastungen von der Kinderbetreuung »einkaufen« können. Wie viel die Ämter zusätzlich für allein Erziehende zahlen, hängt von der Zahl und dem Alter der Kinder ab. Meist zahlen die Ämter 36 Prozent des so genannten Eckregelsatzes, also des Satzes, der für allein Stehende vorgesehen ist. Das sind in den neuen Bundesländern 119 €, in den alten Ländern 124 €. Die genannten Beträge stehen allein Erziehenden zu, die entweder ein Kind im Alter von unter sieben Jahren oder zwei bzw. drei Kinder unter 16 Jahren erziehen. Bei allein Erziehenden mit vier oder fünf Kindern unter 16 Jahren liegt der Zuschlag höher (siehe Tabelle).
Neben dem Zuschlag stehen den Betroffenen natürlich in jedem Fall auch die Regelsätze für die Kinder zu (siehe Tipp 28).

Mehrbedarfszuschlag für allein Erziehende mit Kindern unter 18 Jahren

	Prozentsatz	neue BL	alte BL
1 Kind unter 7 Jahre	36	119 €	124 €
1 Kind über 7 Jahre	12	40 €	41 €
2 Kinder unter 16	36	119 €	124 €
2 Kinder 16–18 Jahre	24	79 €	83 €
3 Kinder unter 18 Jahren	36	119 €	124 €
4 Kinder unter 18 Jahren	48	159 €	166 €
5 Kinder unter 18 Jahren	60	199 €	207 €

Allein erziehend sind nicht nur allein Stehende

Als allein erziehend gelten selbstverständlich alle, die allein stehend sind und nur mit ihren Kindern zusammenleben. Wenn dagegen Mütter oder Väter mit (neuen) Partnern zusammenleben, die nicht Eltern(teile) ihrer Kinder sind, ist rechtlich oft zweifelhaft, ob es sich um allein Erziehende handelt oder nicht.
Der Mehrbedarf steht allen Personen zu, die mit Kindern zusammenleben und »allein für deren Erziehung und Pflege sorgen«. So heißt es in § 20 Abs. 3 des SGB II. In der Rechtsprechung zur Sozialhilfe wurden Personen, die in eheähnlicher Gemeinschaft lebten, dann als allein erziehend anerkannt, wenn der (neue) Partner an der Erziehung nicht wesentlich beteiligt war (Oberverwaltungsgericht Lüneburg, FEVS 21, S. 258). Wie dies künftig von den für das ALG II zuständigen Ämtern gehandhabt wird, ist offen. Nach den Durchführungshinweisen der Bundesagentur für Arbeit (BA) scheinen es sich die Ämter künftig sehr einfach zu machen. Danach soll als allein erziehend nur derjenige gelten, der Kinder betreut und den Eckregelsatz von 100 Prozent für allein Stehende erhält.
Ganz wichtig ist daher für Betroffene, die mit einem (neuen) Partner zusammenleben, die Frage: »Lebe ich in einer eheähnlichen Gemeinschaft?« (Darauf gehen die Tipps 25 und 26 ausführlich ein.) Eheähnlich zusammenlebende Partner erhalten nämlich nur zweimal den Regelsatz von 90 (und nicht 100) Prozent. Mithin ist es sehr fraglich, ob diejenigen, die in einem eheähnlichem Verhältnis leben, künftig den Mehrbedarfszuschlag für allein Erziehende erhalten werden – selbst wenn sie ihre Kinder im Wesentlichen allein erziehen.
Als allein stehend gelten nach den Durchführungshinweisen der BA zu § 20 SGB II auch Partner von Inhaftierten. Diesen steht »die volle Regelleistung« zu – und damit, falls sie Kinder haben, auch der Mehrbedarfszuschlag für allein Erziehende. Gleiches müsste – nach der Logik der BA – auch für Mütter oder Väter gelten, deren (Ehe-)Partner länger (über 14 Tage) im Krankenhaus oder in stationärer Rehabilitation sind. Wichtig: In solchen Fällen sollten die Betroffenen die Job-Center und zuständigen Ämter umgehend darüber informieren, dass sie über längere Zeit ihre Kinder allein erziehen müssen, weil ihr Partner nicht zur Verfügung steht. Dann müssten sie als allein Stehende und allein Erziehende anerkannt werden und die entsprechenden Zuschläge erhalten.

! Tipp 31
Mehr ALG II für viele Diät-Patienten und Behinderte

Behinderte, die als erwerbsfähig gelten (siehe Tipp 2), können einen Mehrbedarfszuschlag in Höhe von 35 Prozent ihrer individuellen Regelleistung erhalten. Einem erwerbsfähigen Behinderten, der in den neuen Bundesländern lebt, stehen damit 116 € zusätzlich zu (alte Länder: 121 €).
Nicht alle erwerbsfähigen Behinderten erhalten allerdings den Zuschlag, sondern nur diejenigen, denen vom Integrationsamt vermittelte Leistungen zur Teilnahme am Arbeitsleben nach § 33 des neunten Sozialgesetzbuchs (SGB IX) zustehen. Hierzu gehören zum Beispiel Hilfen zur Erhaltung oder Erlangung eines Arbeitsplatzes, Berufsvorbereitung, berufliche Ausbildung, Anpassung oder Weiterbildung. Wer diese Leistungen als Behinderter erhält, sollte dem Amt, das vor Ort für das ALG II zustän-

dig ist, den Bewilligungsbescheid des Integrationsamtes vorlegen. Ihm muss dann nämlich ein Mehrbedarf von 35 Prozent zugestanden werden.
Auch für **kostenaufwändige Ernährung** aus medizinischen Gründen kann bei ärztlicher Verordnung ein Mehrbedarf gewährt werden. Wer aus medizinischen Gründen eine kostenaufwändige Diät einhalten muss, sollte sich beim Job-Center oder dem sonst für das ALG II zuständigen Amt den dafür vorgesehenen Vordruck besorgen und diesen vom Hausarzt ausfüllen lassen. Bislang gestehen viele Sozialämter z. B. Hilfeempfängern mit hohen Blutfettwerten einen Mehrbedarfszuschlag von 35,79 € zu. Mehrbedarf gibt es meist auch bei natriumdefinierter Kost zur Senkung des Bluthochdrucks. Viele Kommunen richteten sich in der Vergangenheit nach den Empfehlungen, die der »Deutsche Verein für öffentliche und private Fürsorge« dazu 1996 herausgegeben hat (Heft 48 des Deutschen Vereins).
Ansonsten sollen Erwerbsfähige mit gesundheitlichen Handicaps die gestiegenen Eigenzahlungen für ihre Gesundheitsversorgung – wie zum Beispiel Praxisgebühren oder Arzneimittelzuzahlungen – aus ihren schmalen Regelleistungen (siehe Tipp 28) bezahlen. Denn diese umfassen nach der Regelsatzverordnung, die 2004 mit der Gesundheitsreform geändert wurde, auch »Leistungen für Kosten der Krankheit, bei vorbeugender und sonstiger Hilfe« – soweit sie nicht von der gesetzlichen Krankenversicherung übernommen werden. Diese Bestimmung halten viele Gesundheits- und Sozialexperten für äußerst problematisch.
Gerade Empfänger von ALG II und Sozialgeld sollten deshalb alle Zuzahlungs-Belege aufbewahren. Denn wenn sie mehr als zwei Prozent (chronisch Kranke: ein Prozent) ihrer Regelleistungen dafür ausgeben, steht ihnen eine Befreiung von Zuzahlungen zu Krankenversicherungs-Leistungen zu. Mehr Tipps dazu finden Sie in dem Ratgeber »111 Tipps zu Sozialleistungen«, der 2005 in neuer Auflage im Bund-Verlag erscheint.

! Tipp 32
Mehrere Zuschläge gleichzeitig möglich

Mehrbedarfszuschläge werden dann aber »gedeckelt«

Es können auch mehrere Mehrbedarfszuschläge (siehe Tipps 29 bis 31) gleichzeitig gewährt werden. Einer allein erziehenden Mutter stehen beispielsweise – soweit sie erneut schwanger ist – gleichzeitig die Mehrbedarfszuschläge für allein Erziehende und Schwangere zu. Sie könnte zum Beispiel auch noch einen Zuschlag für kostenaufwändige Ernährung erhalten, wenn sie aus medizinischen Gründen eine teure Diätkost benötigt.
Wichtig ist allerdings: Die Summe der Mehrbedarfszuschläge darf nicht höher sein als die Regelleistung, die der betreffenden Person zusteht. Wer beispielsweise in Westdeutschland als Regelleistung 345 € erhält, kann damit zusammen mit den Mehrbedarfszuschlägen insgesamt höchstens 690 € erhalten. Dazu kommen natürlich noch die Zahlungen für Wohnung und Heizung (siehe Tipps 33 bis 41).
Und: Ehemalige Empfänger von Arbeitslosengeld (I) können dazu auch noch den ALG-II-Zuschlag (siehe Tipps 47 bis 49) bekommen.

Tipp 33
»Angemessene« Kosten fürs Wohnen müssen die Ämter übernehmen

Wie bisher schon bei der Sozialhilfe, so werden auch beim ALG II neben den so genannten Regelsätzen die Kosten für Unterkunft und Heizung vom Amt übernommen. Dafür erhalten ALG-II-Bezieher als Mieter aber kein Wohngeld und als Eigentümer keinen (wohngeldähnlichen) Lastenzuschuss mehr. Die Mietkosten – und ebenso die Belastungen, die ein selbst genutztes Eigenheim (siehe Tipp 39) verursacht – müssen jedoch »angemessen« sein. Zur Überprüfung der Angemessenheit wird es keine bundeseinheitliche Regelung geben. In jeder Kommune werden ab 2005 – wie derzeit schon bei der Sozialhilfe – unterschiedliche Maßstäbe angesetzt. 33

Als Wohnungsgröße akzeptieren die meisten Ämter bei Mietern in der Regel für allein Stehende 45 Quadratmeter. Für jede weitere im Haushalt lebende Person kommen zusätzlich weitere 15 Quadratmeter hinzu.

Häufig orientieren sich die Kommunen bei der Prüfung der Angemessenheit der Miete an den Mietobergrenzen des Wohngeldgesetzes. Die Rechtsprechung hat allerdings klargestellt, dass die am jeweiligen Ort marktüblichen Mieten berücksichtigt werden müssen. Wo es einen Mietspiegel gibt, kann dieser als Orientierung dienen.

Einige *Beispiele,* wie bislang in verschiedenen Großstädten verfahren wurde: In **München** galt 2004 für einen allein Stehenden eine monatliche Kaltmiete einschließlich Nebenkosten von bis zu 429,50 € als angemessen, bei zwei Personen waren es 644,30 €. In **Köln** hielten die Sozialämter für Singles nur Kaltmieten einschließlich Kaltnebenkosten von 297 € (für zwei Personen: 396 €) für angemessen. In **Frankfurt** akzeptierte das Sozialamt meist die im Mietspiegel vorgesehene Miete. Der im Oktober 2004 noch geltende Mietspiegel von 2002 sah beispielsweise für Wohnungen, die zwischen 1993 und 1999 erbaut wurden und keinen gehobenen Standard hatten, als ortsübliche Vergleichsmiete 8,74 € pro Quadratmeter (qm) vor.

Die Ämter differenzieren dabei vielfach zwischen »**Neuanmietung**« und »**Bestandswohnung**«. Wenn Bezieher von ALG II in eine neue Wohnung umziehen, werden in **Düsseldorf** beispielsweise nur 6,40 € pro Quadratmeter anerkannt. Bei Einpersonenhaushalten gelten damit 288 € (6,40 € x 45 qm) als angemessen. Für Wohnungen, in denen Bezieher von ALG II und Sozialgeld bereits zu Beginn des Leistungsbezugs leben, gelten weit höhere Werte. Bei Einpersonenhaushalten werden beispielsweise für Miete einschließlich der »kalten« Nebenkosten in Düsseldorf monatlich bis zu 418 € akzeptiert.

Düsseldorf: Mietrichtwerte für ALG-II-Haushalte (Stand: Oktober 2004)

Als »angemessen« gelten Mieten* bis zu ...

Haushaltsgröße	anerkannte Wohnungs-größe	anerkannte Miete bei Neuanmietung	anerkannte Miete in »Bestandswohnung«
1 Person	45 qm	288 €	418 €
2 Personen	60 qm	384 €	538 €
3 Personen	75 qm	480 €	648 €
4 Personen	90 qm	576 €	749 €
5 Personen	105 qm	672 €	840 €
für jede weitere Person	plus 15qm	plus 96 €	plus 120 €

* Miete inklusive Nebenkosten ohne Heiz- und Warmwasserkosten und ohne Möblierung

Die skizzierten Beispiele können nur als sehr grobe Orientierung dienen. Die Regelungen sind in jedem Ort – je nach örtlichem Mietniveau – unterschiedlich. *Tipp:* Erkundigen Sie sich am besten schon vor dem ersten Gespräch mit dem für Sie zuständigen persönlichen Ansprechpartner oder Fallmanager einer Arbeitsloseninitiative vor Ort nach den örtlichen Regelungen zur »angemessenen« Miete.

34

Tipp 34

Egal wie hoch Ihre Miete ist:

Wohnkosten werden zunächst übernommen

Ihre Miete ist »sündhaft teuer«, sie war gerade noch zu bezahlen, als Sie zu Zweit verdient haben? Doch jetzt sind Sie schon länger arbeitslos und fürchten, dass sie wegen der teuren Wohnung kein Geld vom Amt bekommen?
Keine Sorge. Wenn Ihr Einkommen für ein menschenwürdiges Leben nicht reicht, darf das zuständige Amt Sie in keinem Fall abweisen – auch nicht wegen einer »sündhaft teuren« Miete oder zu großem Wohnraum.
Die für das ALG II zuständigen Ämter interessieren sich zwar – wie früher die Sozialämter – sehr für die Höhe Ihrer Miete, weil sie diese zunächst meist in voller Höhe übernehmen müssen. Später können die Ämter die Hilfebezieher grundsätzlich auch zum Umzug zwingen, indem sie nur einen Teil der Kosten übernehmen.
Wichtig ist zunächst aber: Auch wenn Ihre Miete sehr hoch ist, sollten Sie sich vor dem Weg zum Amt nicht scheuen. Wenn Ihr Einkommen nach Abzug der fixen Kosten (und dazu gehört auch die volle Warmmiete) nicht für ein menschenwürdiges Leben für Sie und Ihre Familie ausreicht, muss das Job-Center Ihnen ALG II und Sozialgeld zahlen und dabei zumindest für einen Übergangszeitraum von sechs Monaten die volle Miete berücksichtigen. Kein Sachbearbeiter darf Sie mit dem Argument »Suchen Sie sich doch erst mal eine billigere Wohnung« abweisen. Ihre zu hohe Miete wird allerdings schon bei Ihrem ersten Besuch auf dem Amt zum Thema werden.

Womit Sie rechnen können und welche Möglichkeiten Sie sich zur Reduzierung ihrer Wohnkosten selbst überlegen sollten – darum geht es in den folgenden Tipps 35 bis 37.

! Tipp 35 Wenn Sie zu teuer wohnen: Kostensenkung wird verlangt

Wenn die Kosten für Ihre Wohnung nach den Maßstäben der Ämter (siehe Tipp 33) zu hoch sind, wird trotzdem zunächst einmal die volle Summe übernommen, jedoch nur so lange, wie es dem Hilfebedürftigen »nicht möglich oder nicht zuzumuten ist, durch einen Wohnungswechsel, durch Vermieten oder auf andere Weise die Aufwendungen zu senken«. So steht es in § 22 Abs. 1 des zweiten Sozialgesetzbuchs.
Wie die Kosten gesenkt werden, ist dabei Sache der ALG-II-Bezieher. Man kann beispielsweise einen Teil der Wohnung oder des Hauses untervermieten. Wie das gehen kann, steht in Tipp 37. Oder man sucht sich eine günstigere Wohnung.
Für den Fall, dass ein ALG-II-Bezieher vom Amt zur Senkung der Unterkunftskosten aufgefordert wird, »können die tatsächlichen Unterkunftskosten in der Regel bis zu sechs Monate übernommen werden. In diesem Zeitraum, ist dann Gelegenheit, eine günstigere Wohnung oder einen Untermieter zu suchen.« So erklärt der Düsseldorfer Sozialdezernent Burkhard Hintzsche die ab Anfang 2005 bundesweit geltende Rechtslage.
Vom ALG-II-Bezieher wird dann erwartet, dass er aktiv eine preiswertere Wohnung sucht. Hintzsche erläutet, was in Düsseldorf (und in ähnlicher Form auch anderswo) erwartet wird:

- »Der Hilfesuchende muss sich beim Amt für Wohnungswesen wohnungssuchend melden,
- er muss einen Wohnberechtigungsschein beantragen,
- er muss konkret nachweisen, dass er sich bei größeren Vermietern in der Stadt um eine Wohnung bemüht hat und
- er muss auch dokumentieren, dass er selbst auch Wohnungen gesucht hat.«

Dabei reicht es nach Auskunft des Sozialdezernenten nicht einfach aus, wenn man angebe, »man hat ein reges Zeitungsstudium des Immobilienteils betrieben«. Der Nachweis der eigenen Suchbemühungen muss vielmehr – so Hintzsche – »belastbar« sein. Als Beispiel nennt er die »Führung einer Liste mit näheren Angaben über die nachgefragte Wohnung, z. B. Angabe des Vermieters, genaue Anschrift«.

Bei vergeblicher Suche gibt's volle Miete weiter

Wenn ALG-II-Beziehern ein Umzug zugemutet werden kann und sie aus eigener Schuld nach längerer Zeit keine angemessene preiswertere Wohnung gefunden haben, müssen die Ämter nach der herrschenden Rechtsauffassung nur noch die »angemessenen Unterkunftskosten« (siehe Tipp 33) übernehmen.

Falls ALG-II-Bezieher jedoch belegen können, dass sie sich aktiv, aber vergeblich um eine preiswertere Unterkunft bemüht haben, werden die vollen Unterkunftskosten auch nach Ablauf der 6-Monats-Frist weiterhin übernommen: Hintzsche: »Dann verschiebt sich die Frist, innerhalb der sich jemand eine neue Unterkunft suchen soll, einfach nach hinten.«

35

Wohnungsbeschaffungskosten trägt das Amt nach Absprache

Wenn die Ämter einen Umzug verlangen, **können** sie nach dem Gesetz »Wohnungsbeschaffungskosten sowie Mietkautionen und Umzugskosten« übernehmen. Die Zusicherung zur Kostenübernahme **soll** erteilt werden, wenn der Umzug **vom Amt veranlasst** ist. Diese »Soll-Regelung« kommt einer Verpflichtung des Amts zur Kostenübernahme nahe. Nur in extremen Ausnahmefällen ist es denkbar, dass sich Ämter dieser Verpflichtung entziehen können. Wichtig ist allerdings, dass die Ämter nur für Umzugs-Aufwendungen aufkommen, die vorab mit ihnen abgesprochen sind. ALG-II-Bezieher sollten daher, bevor sie mit der aufwändigen Suche nach einer billigeren Wohnung beginnen, auf möglichst konkrete Zusagen des Amtes zu folgenden möglichen Kosten drängen.

Doppelte Monatsmiete: Sozialdezernent Hintzsche erläutert, wie damit in Düsseldorf verfahren wird: Falls es Leistungsbeziehern im Einzelfall nicht möglich ist, direkt aus einem bestehenden Mietvertrag in einen anderen (günstigeren) zu wechseln »sind wir gegebenenfalls bereit, auch eine Doppelmietbelastung vorübergehend zu akzeptieren. Das machen wir nicht grundsätzlich, sondern das hängt von den Bedingungen im Einzelfall ab.«

Wohnungsrenovierung, Übernahme von Umzugskosten, Maklergebühren: »Auch das muss im Einzelfall entschieden werden", erklärt Hintzsche. „Wir gehen beispielsweise davon aus, dass die eigentliche Umzugsleistung in Eigenregie erbracht werden kann. Wenn es aber darum geht, einen Umzugswagen zu finanzieren, dann ist das grundsätzlich auch möglich.«

Küche passend machen: In die neue, günstigere Wohnung passt unter Umständen die auf die alte Wohnung zugeschnittene Einbauküche nicht mehr hinein. Dazu Hintzsche: »Im Einzelfall kann das natürlich dazu führen, dass eine Küche teilweise neu beschafft werden muss und im Rahmen der Kostenübernahme auch mit übernommen werden muss. Grundsätzlich gehen wir aber davon aus, dass auch eine zu große Küche auf eine kleinere Fläche zurechtgeschnitten werden kann.«

Fazit: Wenn die Ämter von ALG-II-Beziehern einen Umzug in eine preiswertere Wohnung verlangen, so sind damit für die Behörden erhebliche Folgekosten verbunden. Experten erwarten daher, dass sich die Ämter genau überlegen werden, ob sie tatsächlich Gelder einsparen können, wenn sie Hilfeempfänger zum Umzug zwingen. »Umzüge in kleinere oder billigere Wohnungen wird es deshalb – wenn überhaupt – nur in Einzelfällen geben«, schreibt die Bundesagentur für Arbeit in ihrem Merkblatt zum SGB II.

Tipp 36

Wenn die Wohnung nicht (mehr) angemessen ist:

Gelegenheit zu einem finanzierten Wohnungswechsel

Manchmal kann ein Umzug auch im Interesse von hilfebedürftigen ALG-II-Beziehern sein – etwa wenn ohnehin ein Wohnungswechsel geplant war. Oder wenn die Wohnung – beispielsweise nach einer Trennung oder dem Auszug eines Kindes – zu groß und zu teuer geworden ist. Möglicherweise war das Heim aber auch in der Vergangenheit schon zu teuer – und eher ein »Klotz am Bein«. Vielleicht liegt ein anderes Stadtviertel viel näher an einer derzeitigen (oder künftigen) Arbeitsstelle.

Es könnte aber auch sein, dass eine Wohnung unangemessen klein oder feucht ist oder kein Bad oder Dusche hat. Familien, die etwa zu Dritt in einer kleinen Zweizimmerwohnung leben, können darauf pochen, dass das Amt ihnen eine größere Wohnung finanziert. Hilfebedürftige, die Räumlichkeiten mit erheblichen Mängeln leben, können verlangen, dass das die Behörde ihnen das Wohnen in »angemessenen« Räumen ermöglicht.

In diesen Fällen kann man die Zeit des ALG-II-Bezugs auch als Gelegenheit zu einem Umzug ansehen, den das Amt mitfinanziert. Wichtig ist allerdings in jedem Fall: Bevor sich ALG-II-Bezieher auf die Wohnungssuche machen, sollten sie mit dem Amt absprechen, welche Miethöhe dieses trägt und ob bei einem möglichen Umzug gegebenenfalls anfallende doppelte Wohnungsmieten und Renovierungskosten übernommen werden. Niemals sollten sie einen neuen Mietvertrag unterschreiben, ohne vorher mit dem Amt Rücksprache gehalten zu haben.

Tipp 37

Durch Untervermietung Wohnkosten senken

Besonders Eigenheim-Besitzern, deren Unterkunftskosten von den Ämtern nicht voll übernommen werden (siehe Tipp 39), aber auch Mietern kann eine Untervermietung helfen, die Wohnkosten zu reduzieren.

Wer als Mieter Räume untervermieten will, braucht dafür grundsätzlich das »Ja« des Vermieters. Dieser muss allerdings in der Regel die Zustimmung erteilen, wenn der Mieter »berechtigtes Interesse« an einer Untervermietung hat. Das bestimmt § 553 des Bürgerlichen Gesetzbuchs. Eine wirtschaftliche Notlage in Folge von Arbeitslosigkeit führt – so meinen übereinstimmend die Juristen – zu einem solchen »berechtigten Interesse«. Der Vermieter darf die Untervermietung dann nur ablehnen, wenn die Wohnung hierdurch überbelegt wird oder wenn der vorgestellte Untermieter »unzumutbar« erscheint. Dafür muss der Vermieter aber schon schwerwiegende Gründe anführen, beispielsweise schlechte Erfahrungen mit der betreffenden Person.

Untermietverträge kann man in Schreibwarengeschäften erhalten oder sich per Internet herunterladen. Wer in einer Internet-Suchmaschine das Stichwort »Untermietvertrag« eingibt, erhält eine Reihe von Formularverträgen zur Auswahl.

Übrigens: Statt bekannte oder fremde Personen als Untermieter aufzunehmen, bietet sich manchmal auch die Untervermietung von Räumen als Abstellflächen oder Büros an.

Bürgerliches Gesetzbuch erlaubt Untervermietung

§ 553 des Bürgerlichen Gesetzbuchs beschäftigt sich mit der »Gestattung der Gebrauchsüberlassung an Dritte«. Er lautet:
(1) Entsteht für den Mieter nach Abschluss des Mietvertrags ein berechtigtes Interesse, einen Teil des Wohnraums einem Dritten zum Gebrauch zu überlassen, so kann er von dem Vermieter die Erlaubnis hierzu verlangen. Dies gilt nicht, wenn in der Person des Dritten ein wichtiger Grund vorliegt, der Wohnraum übermäßig belegt würde oder dem Vermieter die Überlassung aus sonstigen Gründen nicht zugemutet werden kann.
(2) Ist dem Vermieter die Überlassung nur bei einer angemessenen Erhöhung der Miete zuzumuten, so kann er die Erlaubnis davon abhängig machen, dass der Mieter sich mit einer solchen Erhöhung einverstanden erklärt.
(3) Eine zum Nachteil des Mieters abweichende Vereinbarung ist unwirksam.

38

! Tipp 38
Bei Mietschulden sofort aktiv werden

Wohnungs- oder Sozialämter helfen

Das kann manchmal ganz schnell passieren: Ihr Überziehungskredit ist ausgeschöpft. Ihre Bank weigert sich, den Dauerauftrag an Ihren Vermieter auszuführen. Und schon ist der Verbleib in Ihrer Wohnung gefährdet – wenn Sie nicht umgehend aktiv werden.
Schon wenn Sie zum ersten Mal Ihre Miete nicht überweisen können, sollten bei Ihnen die Alarmglocken klingeln. Allerdings: Eine einmalige »Panne« stellt für Ihren Vermieter noch keinen Kündigungsgrund dar. Ein »Zahlungsverzug«, der zur Kündigung berechtigt, liegt erst dann vor, wenn Sie an zwei Zahltagen hintereinander die Miete nicht überwiesen haben.
Ein *Beispiel:* Sie haben die zum Monatsersten fällige Miete am 1. November und am 1. Dezember nicht beglichen. Dann kann Ihnen Ihre Wohnung gekündigt werden. Das gilt auch, wenn Sie zweimal hintereinander weniger als die Hälfte der geforderten Miete entrichtet haben (und keinen Grund zur Mietminderung haben). Dies bestimmt § 543 des Bürgerlichen Gesetzbuchs. Allerdings: Wenn Sie nach der Kündigung die Miete umgehend nachzahlen, wird diese unwirksam. Wenn Sie selbst zu einer solchen Zahlung (voraussichtlich) nicht in der Lage sind, sollten Sie umgehend bei Ihrem Sozialamt (in manchen Kommunen auch beim Wohnungsamt) vorsprechen. Achtung: Lassen Sie sich dort nicht mit dem Argument abweisen, für Bezieher von ALG II seien etwa die Job-Center zuständig. Wenn es um Mietschulden geht, stimmt das nur in wenigen Ausnahmefällen (siehe unten).

Verschieben Sie den Gang zum Amt nicht aus falscher Scham

»Da gibt es dann doch immer wieder Leute, die sich schämen, zum Sozialamt zu gehen, die meinen, dass sie eigentlich etwas Besseres seien und nicht zu den Armen gehören. Da kann ich dann nur sagen: Vor dem Gerichtsvollzieher sind später alle gleich. Wenn der mit dem Möbelwagen zum Räumungstermin erscheint, setzt der Sie nach draußen, ohne zu gucken, ob Sie früher mal einen Pelzmantel getragen haben«, meint die Mitarbeiterin eines rheinischen Wohnungsamts. Sie rät daher jedem: »Betonen Sie die Dringlichkeit Ihrer Situation und bitten Sie um einen kurzfristigen Termin bei der zuständigen Stelle in Ihrer Kommune.« Einen Termin wird man Ihnen meist auch rasch geben. Denn hier geht es darum, Obdachlosigkeit zu vermeiden. In solchen Fällen helfen viele Kommunen schnell und relativ unbürokratisch. »Das tun wir dann nicht nur aus Nächstenliebe«, erklärt dazu die oben zitierte Sachbearbeiterin, »sondern auch um höhere Kosten zu vermeiden. Denn kostenmäßig ist für eine Kommune Obdachlosigkeit der größte anzunehmende Unfall. Da kommt es uns dann viel billiger, kurzfristig ein- oder zweimal Mieten zu übernehmen.«

38

Nur in Ausnahmefällen sind Job-Center gefordert

Für die Regulierung von Mietschulden können ab dem 1. Januar 2005 – je nach Einzelfall – zwei verschiedene Ämter nach zwei unterschiedlichen Gesetzen zuständig sein.

In Ausnahmefällen können die Träger der Grundsicherung für Arbeitsuchende – zumeist also die Job-Center – nach dem zweiten Sozialgesetzbuch für Mietschulden eintreten. Das geht allerdings nur dann, wenn durch drohende Obdachlosigkeit »die Aufnahme einer konkret in Aussicht stehenden Beschäftigung verhindert würde«. Dies bestimmt § 22 Abs. 5 SGB II. Im Klartext: Nur wenn ein Bezieher von ALG II eine bestimmte Arbeitsstelle bei einer bestimmten Firma in Aussicht hat und der Stellenantritt zu platzen droht, weil er möglicherweise seine Wohnung verliert, kann das Job-Center Mietschulden übernehmen – und auch dann nur als Darlehen. Solche Fälle werden höchst selten eintreten. Daher ist nicht damit zu rechnen, dass Ämter, die für das SGB II zuständig sind, in nennenswertem Ausmaß für Mietschulden eintreten.

Sozial- oder Wohnungsämter meist zuständig

In allen anderen Fällen sind weiter die Sozial- bzw. Wohnungsämter zuständig, wenn die Wohnung eines Beziehers von ALG II durch Mietschulden gefährdet ist. Hilfen zur Erhaltung der Wohnung gehören nämlich zum Restprogramm der »alten« Sozialhilfe, die nun im zwölften Sozialgesetzbuch geregelt ist. Die Leistungen nach dem SGB XII kommen zwar eigentlich für ALG-II-Bezieher nicht in Frage. Aber: »Dies gilt nicht für Leistungen nach § 34 des Zwölften Buches«. Das steht in § 5 Abs. 2 SGB II. Und § 34 des zwölften Buches bestimmt: Mietschulden »sollen übernommen werden, wenn dies gerechtfertigt und notwendig ist und sonst Wohnungslosigkeit einzutreten droht«.

Auch bei hoher Miete: Rückstände werden kurzfristig übernommen

Mietrückstände können die Sozialämter – je nach Lage des Einzelfalls – als Darlehen oder als Beihilfe übernehmen. Dies gilt auch dann, wenn eine Wohnung nach den Maßstäben der Ämter zu groß und zu teuer ist (siehe Tipp 33). Auch in solchen Fällen sollten Sie sich nicht scheuen, bei Ihrer Kommune vorzusprechen. Dann wird in der Regel zunächst geprüft, ob Sie sich auf Dauer die teure Wohnung leisten können. Herauskommen kann dabei beispielsweise folgende Vereinbarung: Einmalig wird Ihr Mietrückstand übernommen, gleichzeitig verpflichten Sie sich jedoch – auch mit Hilfe des örtlichen Wohnungsamts – eine »angemessene« Wohnung zu suchen. Wenn Sie bei Ihrer Kommune keine Unterstützung finden, sollten Sie bei Beratungsstellen von Wohlfahrtsverbänden oder bei Schuldnerberatungsstellen Rat suchen. Unter Umständen finden diese in Gesprächen mit den zuständigen Mitarbeitern Ihres Sozial- oder Wohnungsamtes doch noch unbürokratische Lösungen, um Ihnen Ihre Wohnung zu erhalten.

Diese Unterlagen sollten Sie bei Mietschulden Ihrem Sozial- bzw. Wohnungsamt vorlegen:

- Kündigungsschreiben, Mahnungen
- Mietvertrag
- Jahresendabrechnungen über Heizkosten und sonstige Nebenkosten
- Unterlagen zum Einkommen und Vermögen aller im Haushalt lebenden Personen
- Bescheinigungen über Schuldenverpflichtungen
- Mahn- und Vollstreckungsbescheide
- Mietquittungen (Überweisungsbelege) der letzten Monate.

Wenn Mieter auf die Kündigung des Vermieters nicht reagiert haben, reicht dieser meist beim Amtsgericht die Räumungsklage ein. Selbst nach Eingang der Klageschrift kann die Wohnung aber noch erhalten bleiben. Dafür bleibt Ihnen allerdings höchstens ein Monat Zeit. Wenn Sie den Mietrückstand innerhalb dieser Zeit ausgleichen, können Sie wohnen bleiben. Dies gilt jedoch nur dann, wenn es sich um die erste Kündigung innerhalb der letzten zwei Jahre handelt. *Übrigens:* Auch nach der Räumungsklage kann Ihnen Ihr kommunales Wohnungs- oder Sozialamt unter Umständen noch helfen. Sie müssen nur hingehen.

! Tipp 39
Auch Wohneigentümer erhalten angemessene Unterkunftskosten

Wer Wohneigentum besitzt und selbst nutzt, darf dieses auch als Bezieher von ALG II behalten – vorausgesetzt die Wohnfläche ist nicht größer als 130 qm (siehe Tipp 63). Gilt das Haus oder die Eigentumswohnung als angemessen, dann übernehmen die Ämter dafür auch Unterkunftskosten – allerdings ebenfalls nur, soweit diese angemessen sind.

Wenn Sie ein Eigenheim oder eine Eigentumswohnung bewohnen, gehören zu den übernahmefähigen Kosten der Unterkunft die damit verbundenen Belastungen. Dazu zählen zum Beispiel angemessene Schuldzinsen für Hypotheken, Grundsteuer, Wohngebäudeversicherung, Erbbauzins, Nebenkosten wie bei Mietwohnungen sowie die notwendigen Instandhaltungskosten.
Probleme für Eigentümer ergeben sich vor allem bei folgenden Punkten:

Ausgaben müssen angemessen sein

Die Ausgaben »sind dann nicht in ihrer tatsächlichen Höhe zu berücksichtigen, wenn sie den nach der Besonderheit des Einzelfalls angemessenen Unterkunftsbedarf übersteigen«, erklärt der Düsseldorfer Sozialdezernent Burkhard Hintzsche die bis Ende 2004 bei der Sozialhilfe und künftig auch beim ALG II geltende Rechtslage. Die Grenzen der Angemessenheit werden – so Hintzsche – gesprengt, »wenn die Aufwendungen für die Bestandsmiete überschritten werden«. In Düsseldorf werden für Wohnungen, die die ALG-II-Bezieher vor dem Hilfebezug bereits angemietet hatten, beispielsweise für eine 5-Personen-Bedarfsgemeinschaft monatlich bis zu 840 € (ohne Heizkosten) als angemessen angesehen (siehe Tipp 33). Höhere Unterkunftskosten werden auch für Besitzer von Wohneigentum, die mit fünf Personen zusammenleben, in der Regel nicht länger als sechs Monate übernommen.

An Schuldentilgung beteiligen sich die Ämter nicht

Viele Immobilienbesitzer haben mit der Bank, die die Immobilie finanziert, eine jährliche Tilgungsrate von ein oder zwei Prozent vereinbart. Diese Ausgaben für die Schuldentilgung werden von den Trägern des ALG II nicht übernommen.
Ausnahmsweise kann im Einzelfall – so Hintzsche – »eine darlehensweise Übernahme der Tilgung erfolgen, die durch Eintragung in das Grundbuch schuldrechtlich abgesichert ist«. Dies kommt allerdings nur dann in Frage, wenn die Hilfebezieher in Verhandlungen mit den Gläubigerbanken keine Tilgungsaussetzung erreichen (siehe Tipp 40).

!

Tipp 40

Wenn der Kredit fürs Eigenheim drückt:

Über eine Tilgungsaussetzung verhandeln

Wenn das zuständige Amt für hilfebedürftige Wohneigentümer nicht die vollen Kreditkosten übernimmt (siehe Tipp 39), werden viele in absehbarer Zeit mit ihren Zins- und Tilgungsraten in Rückstand geraten. In diesem Fall sollten Betroffene rechtzeitig auf ihre Bank zugehen und ihre Situation offen legen. Keinesfalls sollten sie warten, bis auf ihrem Girokonto hohe Schulden auflaufen. Dazu raten sowohl Verbraucherschützer als auch Kreditinstitute.
Doch wie sollten ALG-II-Empfänger dann gegenüber Banken oder Sparkassen konkret vorgehen? Dazu fragten die Autoren einen Mitarbeiter des »Kreditoffice« der Postbank:

Kann man über eine Tilgungsaussetzung verhandeln?
Postbank: Wenn die Zinsen bedient werden, ist das möglich, wobei es immer auf den Einzelfall ankommt. Wir können die Tilgung eine Zeit lang aussetzen.

Gibt es eine zeitliche Obergrenze, wie lange Sie die Tilgung aussetzen würden?
Postbank: Die Dauer einer Tilgungsaussetzung ist abhängig von der Darlehenshöhe, dem Wert der Immobilie und dem Alter des Objekts. Zudem müssen auch Vorgaben des Hypothekenbankgesetzes eingehalten werden.

Nehmen wir einen Kunden, der über 50 Jahre alt ist und schon einige Zeit die Immobilie abbezahlt, wie sollte er vorgehen?
Postbank: In einem solchen Fall ist es sinnvoll, uns eine plausible Finanzplanung vorzulegen. Ein vorübergehender Verzicht auf die Tilgung fällt uns natürlich umso leichter, wenn gemeinsam ein tragfähiges Konzept ausgearbeitet werden kann.

! Tipp 41 Heizkosten werden meist in voller Höhe übernommen

Egal, ob es sich um hilfebedürftige Mieter oder Eigentümer handelt: Heizkosten werden nach § 22 des zweiten Sozialgesetzbuchs von den Ämter in der Regel »in Höhe der tatsächlichen Aufwendungen erbracht«. Diese »tatsächlichen« Kosten müssen allerdings »angemessen« sein.
Für die »Angemessenheit« der Heizkosten gibt es – wie bei der Miethöhe – keine bundeseinheitliche Regelung. In Köln sieht man derzeit beispielsweise einen Betrag von 1,30 € pro Quadratmeter als angemessen an. Ein Betrag von 1,60 € wird noch akzeptiert, wenn die Räume außergewöhnlich hoch sind oder wenn die Bewohner nachweislich immungeschwächt sind.
Selbst in den Fällen, in denen die Heizkosten nach Ansicht der Ämter zu hoch ausfallen, werden diese nach den gesetzlichen Regelungen zunächst einmal für einen Zeitraum von sechs Monaten voll übernommen. Die »Angemessenheit« von Heizkosten zu bestimmen, ist ohnehin schwierig. Zudem können Mieter die Höhe ihrer Kosten für die Beheizung nur in beschränktem Maße steuern. Ob die Wärmeisolierung des Wohngebäudes ausreichend ist oder nicht, ist beispielsweise nicht Sache des Mieters. Unangemessene Heizkosten müssen deshalb in der Regel solange von den Behörden übernommen werden, wie es nicht möglich ist, die Aufwendungen zu senken. Bei Zentralheizungen tragen die Ämter in aller Regel die Heizkostenvorauszahlungen. Auch für Heizkostennachzahlungen müssen die Ämter aufkommen. Dies gilt allerdings nur dann, wenn die Betroffenen zum Zeitpunkt des Fälligwerdens der Nachzahlung noch ALG II oder Sozialgeld beziehen.
Sonderregelungen gibt es bei Mietern, die – mangels anderer Gelegenheiten – elektrisch heizen. Hier gibt es (wie bei vielen anderen Punkten) keine bundeseinheitliche Regelung. In Düsseldorf ist beispielsweise pro Monat ein Zuschuss von 60,40 € zur Stromrechnung vorgesehen. Für Haushalte, die mit Kohleöfen heizen, soll es einen Zuschuss von monatlich 41,50 € geben.

Abschläge für Warmwasser

Strom, der nicht fürs Heizen genutzt wird, und Warmwasser müssen ALG-II-Empfänger stets selbst bezahlen. Oft lassen sich die Kosten für die Wassererwärmung und Heizung jedoch nicht trennen. In diesen Fällen erstatten die Ämter nicht die kompletten Rechnungsbeträge für Wärmekosten, sondern nehmen einen Abschlag vor. Von einer Rechnung für Heiz- und Warmwasserkosten werden dann beispielsweise 18 Prozent abgezogen und nur 82 Prozent erstattet.

!

Tipp 42

Bei Erst-Bekleidung, Wohnungsgründung oder Klassenfahrten:

Nur noch wenige einmalige Beihilfen

Taufe des Kindes, Reparatur des Kühlschranks, Kauf eines notwendigen Wintermantels – für solche Ausgaben »außer der Reihe« gab es für Sozialhilfeempfänger bis Ende 2004 einmalige Beihilfen. Mit dem neuen Sozialgesetzbuch II wurden diese Leistungen ab 2005 weitgehend abgeschafft. Stattdessen wurden die Regelleistungen für solchen »einmaligen Bedarf« um gerade mal 16 Prozent erhöht. Das sind für allein Stehende in den alten Bundesländern 48 und in den neuen Ländern 46 € mehr im Monat. Diesen Zuschlag sollen die Hilfeempfänger ansparen und auf diese Weise – so die Idee des Gesetzgebers – Rücklagen bilden, um sich bei Bedarf das Notwendige kaufen zu können. Doch wenn tatsächlich eine neue Waschmaschine gebraucht wird oder das Auto repariert werden muss, dann werden vielen Hilfebedürftigen die notwendigen Rücklagen fehlen. Denn die etwas höheren Regelsätze reichen nach Ansicht vieler Experten nicht aus, um die tatsächlichen Aufwendungen für den in Deutschland zum Leben notwendigen »einmaligen Bedarf« zu finanzieren.
Allerdings: Die einmaligen Beihilfen wurden nicht vollständig abgeschafft. Einige Leistungen in besonderen Lebenssituationen sieht auch das neue Recht weiterhin vor – und zwar »Leistungen für

1. die Erstausstattungen für die Wohnung einschließlich Haushaltsgeräten,
2. Erstausstattungen für Bekleidung einschließlich bei Schwangerschaft und Geburt sowie
3. mehrtägige Klassenfahrten im Rahmen der schulrechtlichen Bestimmungen.«

Dies bestimmt § 23 Abs. 3 des zweiten Sozialgesetzbuchs.

Nicht ganz klar ist nach dem Gesetzestext, was alles zur »Erstausstattung« für Wohnung und Bekleidung gehören soll. Darum geht es im folgenden Tipp 43.
Die Regelung, dass für »mehrtägige Klassenfahren« Beihilfen geleistet werden, schließt wohl die Zahlung von Beihilfen für kurze Klassenausflüge in der Regel aus. Bei Klassenfahrten stellt sich deshalb vor allem die Frage, wie die anfallenden Kosten nachgewiesen werden können, ohne dass die betroffene Familie der Schule offenbaren muss, dass sie ALG II bzw. Sozialgeld bezieht. Informationen dazu finden Sie in Tipp 44.
Für außerplanmäßige Ausgaben, die in der Aufzählung des Gesetzes nicht genannt sind, gibt es keine Beihilfen. Wenn ein Hilfeempfänger allerdings keine Rücklagen

(gebildet) und aktuell auch kein Geld hat, um beispielsweise einen kaputten Kühlschrank reparieren zu lassen, kann es ausnahmsweise zusätzliches Geld oder einen Sachgutschein vom Amt geben – in diesem Fall allerdings nur als Darlehen. Das Darlehen wird dann durch eine monatliche Aufrechnung mit dem Arbeitslosengeld II getilgt. Maximal dürfen zehn Prozent der Regelleistung des Hilfebeziehers einbehalten werden.
Wichtig ist: Die oben genannten einmalige Beihilfen gibt es generell nur auf Antrag. Dieser muss im Voraus gestellt werden (siehe Tipp 46). Diese Beihilfen kommen auch für diejenigen in Frage, die nicht regelmäßig ALG II oder Sozialgeld erhalten, weil sie ein Einkommen haben, das knapp oberhalb der Leistungssätze des zweiten Sozialgesetzbuches liegt (siehe Tipp 45).

! Tipp 43 Babybekleidung muss das Amt bezahlen

Was zur »Erstausstattung« für Kleidung und Wohnung zählt

Die Ämter müssen nach dem Gesetz die »Erstausstattung« für Bekleidung und für die Wohnung finanzieren. Auf diese Leistungen besteht grundsätzlich ein Rechtsanspruch. »Sie werden gesondert erbracht«, heißt es im Gesetz. Fraglich kann allerdings im Einzelfall sein, was alles zur Erstausstattung gehört.

Erstausstattung für Kleidung

Nach dem Gesetz und der Gesetzesbegründung werden die Kosten für Kleidung in folgenden Fällen übernommen:

- bei Schwangerschaft (Schwangerschaftskleidung),
- für Neugeborene (Babykleidung),
- bei einem Verlust der gesamten Kleidung (etwa nach einem Wohnungsbrand),
- nach einer starken Gewichtszu- oder -abnahme,
- nach längerer Haftzeit.

Erstausstattung der Wohnung

Nach dem Gesetz werden die Kosten für die Erstausstattung »für die Wohnung einschließlich Einrichtungsgegenständen« (§ 23 Abs. 3 SGB II) übernommen. Welche Kosten die Ämter im Rahmen dieser Regelung tragen müssen, werden möglicherweise erst wieder die Gerichte klären (siehe Tipp 110).
Die Übernahme der Einrichtungskosten sollte beispielsweise in folgenden Fällen beantragt werden:

- Für Neugeborene (Laufstall, Wiege, Kinderzimmereinrichtung, Kinderwagen).
- Bei Trennung / Scheidung: Wenn einer der Partner eine neue Wohnung anmietet, müssen für Hilfeempfänger notwendige Kosten der Erstausstattung übernommen werden, wenn der Umzug vorher mit dem Amt abgesprochen ist,

- Vom Amt veranlasster Umzug: Wenn die Möbel der alten Wohnung nicht in die neue (meist kleinere) Wohnung passen, müsste das Amt ebenfalls teilweise einspringen, um etwa passende Küchenschränke zu finanzieren (siehe Tipp 35).
- Neugründung eines Haushalts: Wenn ältere Kinder, die Unterstützung nach dem SGB II beziehen, aus dem Haushalt ihrer Eltern ausziehen oder bei der Neuanmietung einer Wohnung nach einer Haftzeit.

Erstausstattung bei Einschulung

Diese ist im Gesetz bislang nicht vorgesehen. Die Sozialrechtler Albrecht Brühl und Albert Hofmann weisen in ihren Erläuterungen zum SGB II (siehe Info-Tipps nach Tipp 111) allerdings mit Recht darauf hin, dass von der Gesetzessystematik her die Kosten der »Erstausstattung« (Ranzen, Mappe, Malkasten, Schultüte, Hefte) eines Schulkindes ebenfalls vom Amt übernommen werden müsste. *Tipp:* Hilfebezieher, deren Kind demnächst eingeschult wird, sollten eine Liste der notwendigen Ausgaben zusammenstellen und beim zuständigen Amt die Übernahme der Kosten beantragen. Dabei sollte man immer einen schriftlichen rechtsmittelfähigen Bescheid verlangen. Bei Arbeitsloseninitiativen vor Ort sollte man sich zugleich erkundigen, ob es bereits einschlägige Gerichtsurteile gibt und ob es sich gegebenenfalls lohnt, gegen ablehnende Entscheidungen Widerspruch und Klage (siehe Tipp 110) einzulegen.

Leistungen können pauschaliert werden

Die Leistungen für Erstausstattung von Kleidung und Wohnung können nach dem Gesetz »als Sachleistung oder Geldleistung, auch in Form von Pauschalbeträgen, erbracht werden«. Einzelheiten dazu waren bei Redaktionsschluss dieses Ratgebers noch nicht bekannt.

!

Tipp 44

Auch bei Klassenfahrten:

Die Schule muss nichts vom ALG-II-Bezug erfahren

Wenn Kinder von ALG-II-Beziehern auf mehrtägige Klassenfahrten gehen, werden deren »angemessene Kosten« von den zuständigen Ämtern als »einmalige Leistung« übernommen. Sie sind nicht durch die normalen Regelsätze abgedeckt. Auch dann, wenn das Familieneinkommen knapp über der Bedürftigkeitsgrenze liegt, können die Ämter – auf Antrag – die Kosten für eine Klassenfahrt übernehmen (siehe Tipp 42). Die genaue Höhe der Ausgaben für eine Schülerfahrt muss jedoch nachgewiesen werden. Fragt sich nur: Wie? Viele Sozialämter haben hierfür bislang ein amtliches Formular mit dem Titel »Kosten für eine Schulwanderung / Schulfahrt« benutzt. Es steht zu erwarten, dass die Job-Center und sonstigen Stellen, die für das ALG II zuständig sind, ähnlich verfahren.

Fakt ist allerdings: Ein Formular, mit dem Antragsteller bei der Schule als Empfänger von ALG II kenntlich gemacht werden, verstößt gegen den Datenschutz. Stattdessen sollten die betroffenen Eltern dem Amt die schriftlichen Informationen der Schule über die Klassenfahrt (mit Angaben über Ziel, Dauer und Preis) zeigen. Das muss reichen. Wenn sie als »bedürftig« gelten, muss das Amt den von der Schule verlangten Betrag auf ihr Konto überweisen. Die ALG-II-Bezieher leiten das Geld dann an die Schule weiter. Darüber kann die Behörde später auch einen Nachweis verlangen.

45

Datenschutz beim ALG II

Der Bundesbeauftragte für Datenschutz, Peter Schaar, erklärte am 5. Juli 2004 zum Arbeitslosengeld II: »In Antragsformularen dürfen nur die für die Leistungserbringung erforderlichen Daten erhoben werden. Es ist sicherzustellen, dass Dritte (z. B. Arbeitgeber oder Banken) keine Kenntnis von diesen personenbezogenen Daten erhalten. Der so genannte Ersterhebungsgrundsatz, wonach die Daten beim Betroffenen selbst zu erheben sind, ist zu beachten.« Mehr Infos zum Bundesbeauftragten für Datenschutz gibt es im Internet unter: www.datenschutz.bund.de. Hier findet man auch die Adressen der Datenschutzbeauftragten der Länder.

!

Tipp 45

Auch wenn Sie kein ALG II erhalten:

Es kann einmalige Leistungen geben

Ist Ihr Einkommen geringfügig höher als der Betrag, der Ihnen nach dem zweiten Sozialgesetzbuch als Mindestbedarf (siehe Tipp 28) zusteht? Dann können Sie zwar keine laufenden Zahlungen vom Amt erhalten. Sie können jedoch einmalige Beihilfen für die Erstausstattung für Wohnung und Kleidung und für eine mehrtägige Klassenfahrt Ihres schulpflichtigen Kindes beantragen.

Wenn Ihr Haushaltseinkommen knapp über den ALG-II-Sätzen liegt, darf der den Bedarf übersteigende Betrag allerdings mit der einmaligen Leistung verrechnet werden. Das SGB II lässt den Ämtern bei der Einkommensanrechnung einen weiten Handlungsspielraum. Es bestimmt lediglich, dass das den Bedarf übersteigende Einkommen von »bis zu sechs Monaten« nach Ablauf des Monats, in dem über die Hilfe entschieden wird (§23 Abs. 3 SGB II), mit den beantragten einmaligen Leistungen verrechnet werden kann.

Viele Träger werden daraus wohl die Schlussfolgerung ziehen, dass das »Überschusseinkommen« immer mit der Zahl Sieben (für den Antragsmonat und sechs weitere Monate) multipliziert wird und mit der Beihilfe verrechnet wird. Das Verfahren wird dann – beispielsweise – so aussehen:

Für die Erstausstattung einer Wohnung wird ein Betrag von 1500 € beantragt. Das Einkommen einer Bedarfsgemeinschaft beträgt 1700 €, ihr Bedarf nach dem SGB II liegt nach der Berechnung des Amts bei 1600 €. Die Bedarfsgemeinschaft hat damit 100 € mehr zur Verfügung als den vom Amt errechneten Mindestbedarf. Dieser Betrag wird mit Sieben multipliziert, was 700 € ergibt. Damit erhält die Bedarfsgemeinschaft für die Erstausstattung der Wohnung 800 € (1500 minus 700 €).

! Tipp 46
Einmalige Leistungen stets vorab beantragen

Selbst wenn Sie in einer Notsituation sind und die komplette Wohnungseinrichtung (wodurch auch immer) verloren haben, sollten Sie neue Einrichtungsgegenstände keinesfalls kaufen, ohne dies vorher mit dem zuständigen Amt abzusprechen.
Einmalige Leistungen müssen nämlich grundsätzlich vor dem Kauf beantragt werden. Warten Sie deshalb in jedem Fall die Bewilligung des Amtes ab. Denn wenn Sie den Einkauf aus eigener Tasche vorstrecken, gilt der Bedarf als gedeckt – und die zuständigen Stellen zahlen nicht mehr.
Den Antrag auf einmalige Leistungen reichen Sie am besten schriftlich ein. Dann haben Sie später bei einem möglichen Widerspruchsverfahren etwas schwarz auf weiß in der Hand. Sie sollten auch auf einem schriftlichen Bescheid bestehen, aus dem hervorgeht, welche Sachen zu welchen Preisen bewilligt oder abgelehnt wurden. Gegen Ablehnungsbescheide können Sie gegebenenfalls innerhalb eines Monats Widerspruch einlegen (siehe Tipp 110).

! Tipp 47
Für vorherige Bezieher von Arbeitslosengeld (I):
Zuschlag zum ALG II soll Absturz abfedern

Der »Absturz« von der Versicherungsleistung Arbeitslosengeld (I) in die Grundsicherungsleistung Arbeitslosengeld II soll durch einen Zuschlag abgefedert werden. Dieser wird allerdings für höchstens zwei Jahre gezahlt – und ist im zweiten Jahr nur halb so hoch wie im ersten Jahr. Der Zuschlag liegt für allein Stehende bei maximal 160 €, für Familien deutlich höher. Aber: Längst nicht jedem, der zuvor Arbeitslosengeld (I) bekommen hat, steht der Zuschlag zum ALG II zu.
Der »befristete Zuschlag« nach § 24 des zweiten Sozialgesetzbuchs wird nur unter drei Voraussetzungen gezahlt:

Voraussetzung 1: Es muss ein Anspruch auf ALG II bestehen

Wer den Zuschlag erhalten möchte, muss Standard-Regelleistungen nach dem SGB II erhalten. Dazu gehören Arbeitslosengeld II, das Sozialgeld für die Familienangehörigen (siehe Tipp 28), die Mehrbedarfszuschläge (siehe Tipps 29 bis 32) und die Kosten für die Unterkunft (siehe Tipp 33). Es reicht, wenn eine Bedarfsgemeinschaft regelmäßig monatlich nur einen einzigen Euro dieser Regelleistungen beanspruchen kann.
Für diejenigen, die – etwa wegen zu hohem Einkommen oder Vermögen – keinen einzigen Cent vom Amt erhalten, schnappt aber die »Bedürftigkeits-Falle« zu: Weil sie nach den Maßstäben des Gesetzes nicht als bedürftig gelten, erhalten sie auch keinen Zuschlag. Für Arbeitnehmer mit einem ausgesprochen gut verdienenden Ehepartner mag das leicht zu verkraften sein. Für diejenigen, die nur wenige Euro mehr Einkommen haben als ihnen das SGB II als Mindestbedarf zugesteht, ist dies unter Um-

ständen eine Katastrophe. Bei einer Familie mit zwei Kindern kann dies dazu führen, dass ihr monatlich 440 € Zuschlag entgehen – nur weil ihr Einkommen ein Euro über dem Mindestbedarf liegt, den das zweite Sozialgesetzbuch definiert (siehe Tipp 28).

Voraussetzung 2: Bezug von Arbeitslosengeld (I) in den letzten zwei Jahren vor dem Antrag auf ALG II

47

Es kommt nicht darauf an, ob jemand das Arbeitslosengeld (I) unmittelbar vor dem Antrag auf ALG II bezogen hat. Dazwischen kann auch eine längere Unterbrechung – etwa durch eine zwischenzeitlich selbstständige Tätigkeit – liegen. Wichtig ist allerdings: Nach dem letzten Tag des Bezugs der Versicherungsleistung beginnt die 2-Jahres-Frist.
Ein *Beispiel:* Sie haben bis zum 31. Mai 2004 Arbeitslosengeld (I) bezogen, danach bis Ende 2004 Arbeitslosenhilfe. Zum 1. Juni 2005 beantragen Sie ALG II. Seit dem letzten Tag des Bezugs von Arbeitslosengeld (I) ist dann ein Jahr vergangen. Folge: Sie können dann grundsätzlich noch ein Jahr lang zusätzlich zum ALG II einen Zuschlag erhalten – allerdings nur den halbierten Zuschlag (siehe unten), da seit dem Ende des Bezugs der Versicherungsleistung bereits ein Jahr vergangen ist.

Voraussetzung 3: Verschlechterung durch das ALG II

Der Zuschlag soll den »Absturz« vom regulären Arbeitslosengeld (I) abfedern – für die wenigen Arbeitslosen, die mit ALG II besser gestellt werden als zuvor mit dem Arbeitslosengeld (I), kommt der Zuschlag damit nicht in Frage.
Ob die Betroffenen durch ALG II schlechter gestellt werden, wird folgendermaßen gemessen: Den Arbeitslosengeld-II-Regelleistungen (einschließlich der Wohn- und Heizkosten) wird die Summe des früher bezogenen Arbeitslosengeldes (I) und des in der gleichen Zeit tatsächlich bezogenen Wohngelds (nach dem Bundeswohngeld gesetz) gegenübergestellt. *Tipp:* Daher lohnt es sich für Arbeitslose, solange sie noch Arbeitslosengeld (I) beziehen auf jeden Fall, einen Antrag auf Wohngeld zu stellen (siehe Tipp 7). Mehr zu den Wohngeld-Leistungen erfahren Sie in der aktuellen Auflage der »111 Tipps zu Sozialleistungen«, die 2005 im Bund-Verlag erscheint.
Ob ein ALG-II-Zuschlag gezahlt werden muss oder nicht, wird an folgendem *Beispiel* deutlich: Cengiz Buruk hatte als monatliches Arbeitslosengeld (I) 625 € erhalten und dazu als Wohngeld 68 €. In der Zeit des Bezugs der Versicherungsleistung kam er damit insgesamt monatlich auf 693 €. Als ALG II werden ihm monatlich einschließlich Miet- und Heizkosten 640 € überwiesen. Anspruch auf zusätzliches Wohngeld hat er als ALG-II-Bezieher nicht. Damit hat er jetzt genau 53 € weniger als zu Zeiten seines Bezugs von Arbeitslosengeld (I). Mithin hat Herr Buruk Anspruch auf den Zuschlag.

Deckelung des Zuschlags

Die Höhe des Zuschlags wird folgendermaßen berechnet: Im ersten Jahr nach dem Ende des Bezugs von Arbeitslosengeld (I) gibt es zwei Drittel des Unterschiedsbetrag zwischen den ausgezahlten ALG-II-Regelleistungen (einschließlich Wohn- und Heizkosten) und der Summe des früher bezogenen Wohn- und Arbeitslosengelds.
Im geschilderten Fall von Cengiz Buruk gibt es damit zunächst ein Jahr lang einen monatlichen Zuschlag von 35,33 € (was auf 35 € abgerundet wird). Im zweiten Jahr

nach dem Ende des Bezugs von Arbeitslosengeld (I) wird der Zuschlag halbiert. Dann erhält Herr Buruk also nur noch ein Drittel des Unterschiedsbetrags, bzw. die Hälfte des im ersten Jahr bezogenen Zuschlags. Das wären das 17,50 € (was auf 18 € aufgerundet wird).
Nach dieser Rechenmethode könnte der Zuschlag im Einzelfall 500 € oder mehr betragen. Um dies zu vermeiden, hat der Gesetzgeber die Zuschlagshöhe »gedeckelt«. Sie beträgt im ersten Jahr höchstens 160 € bei allein Stehenden im Monat, bei (Ehe-) Paaren 320 €. Für jedes Kind in der Bedarfsgemeinschaft erhöht sich der Maximal-Zuschlag um weitere 60 €. Im zweiten Jahr werden auch diese Höchstbeträge halbiert (siehe Tabelle).
Wichtig ist noch: Die aufgeführten Höchstbeträge gelten für eine komplette Bedarfsgemeinschaft. Das bedeutet: Wenn in einer Bedarfsgemeinschaft früher zwei Personen Arbeitslosengeld (I) bezogen haben, ist der Zuschlag zum ALG II insgesamt auf die genannten Beträge begrenzt.

48

Maximale Höhe des Zuschlags zum Arbeitslosengeld II

	Allein Stehende	(Ehe-)Paare	pro Kind
Erstes Jahr*	160	320	60
Zweites Jahr*	80	160	30

* nach Ende des Bezugs von Arbeitslosengeld I

!

Tipp 48

Bevor das Arbeitslosengeld (I) ausläuft:

Mini-Job kann späteren Zuschlag zum ALG II gefährden

Wenn geprüft wird, ob Anspruch auf einen Zuschlag zum ALG II besteht, kommt es entscheidend darauf an, wie hoch früher das reguläre Arbeitslosengeld (I) ausgefallen ist. Je höher es im letzten Monat vor dem Ende des Leistungsbezugs war, desto höher fällt später auch der Zuschlag zum ALG II aus. Und umgekehrt.
Daraus folgt: Ein bezahlter Nebenjob im entscheidenden letzten Monat kann deshalb zur Falle werden. Denn wer einen genehmigten Nebenjob ausübt, dem wird weniger Arbeitslosengeld (I) ausgezahlt. Bei einem Nebenjob sind beim Arbeitslosengeld (I) mindestens 165 € anrechnungsfrei. So viel darf man also in jedem Fall behalten, ohne dass die Versicherungsleistung gekürzt wird. Der Teil des Nebeneinkommens, der die 165-Euro-Grenze überschreitet, wird voll vom Arbeitslosengeld (I) abgezogen. Es gibt dann also weniger Unterstützung – und das kann bedeuten, dass später der Zuschlag zum ALG II niedriger ausfällt oder sogar ganz wegfällt.
Wie das praktisch funktioniert, lässt sich am *Beispiel* von Cengiz Buruk (siehe Tipp 47) erläutern. Er hatte Anspruch auf ein monatliches Wohngeld von 68 € und ein Arbeitslosengeld (I) von 625 €. Hätte er im letzten Monat seines Bezugs dieser Versi-

cherungsleistung einen kleinen Nebenjob gehabt und deshalb nur 550 € Arbeitslosengeld (I) ausgezahlt bekommen, dann hätte er im letzten Monat des Bezugs der Versicherungsleistung insgesamt nur 618 € Arbeitslosengeld (I) und Wohngeld erhalten. Beim ALG II würden ihm einschließlich Miet- und Heizkosten dann zwar mit 640 € genauso viel Regelleistungen überwiesen wie er ohne vorherigen Nebenjob bekommen hätte. Doch wegen seines Nebenjobs hätte er dann 22 € mehr als im letzten Monat des Bezugs von Arbeitslosengeld (I). Die Folge: Herr Buruk hätte dann keinen Anspruch auf den befristeten Zuschlag.

49

Achtung: Nebenjob-Check vor dem Auslaufen des Arbeitslosengelds (I)

Bezieher von Arbeitslosengeld (I) mit Nebenjob sollten spätestens zwei Monate vor dessen Auslaufen checken, ob ihre niedrig bezahlte Nebenbeschäftigung ihren späteren Anspruch auf den Zuschlag zum ALG II gefährdet. In manchen Fällen wird es möglich sein, aus dem Nebenjob einen vollen Job zu machen. Dann wäre man wahrscheinlich gar nicht mehr auf das ALG II angewiesen. Wenn das nicht geht, sollte man prüfen, ob man den Nebenjob im letzten Monat des Bezugs von Arbeitslosengeld (I) ruhen lassen kann (etwa durch die Vereinbarung unbezahlten Urlaubs). Es kommt nur darauf an, dass in diesem Monat keine Einnahmen eingehen, durch die das Arbeitslosengeld (I) gekürzt wird.
Wer so vorgeht, braucht keine Sanktionen zu befürchten. Denn Arbeitslose, die Arbeitslosengeld (I) beziehen, sind nicht zur Aufnahme eines Nebenjobs mit weniger als 15 Wochenarbeitsstunden verpflichtet, mithin können sie solche Jobs auch nach Belieben aufnehmen, aufgeben oder ruhen lassen. ALG-II-Bezieher, die während des Bezugs der Leistung einen Nebenjob ohne wichtigen Grund aufgeben, müssen dagegen unter Umständen eine »Bestrafung« befürchten (siehe Tipp 108).
Beim Nebenjob-Check sollte man sich am besten von einer Arbeitsloseninitiative beraten lassen. Gewerkschaftsmitgliedern können meist auch ihre Einzelgewerkschaften vor Ort helfen. Ausführliche Informationen zur Anrechnung von Nebenjob-Einkommens beim Arbeitslosengeld (I) finden Sie im Ratgeber »111 Tipps für Arbeitslose« (siehe Info-Tipps am Ende von Tipp 111).

!

Tipp 49

Auch deshalb lohnt sich eine Antragstellung:

ALG-II-Zuschlag kann wesentlich höher sein als ALG II

Den befristeten Zuschlag erhält nur, wer überhaupt Anspruch auf ALG II hat. Und genauso wichtig: Wer den Zuschlag erhält, kann ihn wieder verlieren – und zwar immer dann, wenn sein Einkommen die »ALG-II-Schwelle« auch nur geringfügig überschreitet.
Ob der befristete Zuschlag gezahlt wird, wird nicht nur dann geprüft, wenn ein neuer Antrag auf ALG II gestellt wird. Der Zuschlag steht vielmehr immer dann wieder auf dem Prüfstand, wenn sich die Situation der Bedarfsgemeinschaft verändert. Das kann für die Betroffenen positiv sein.

Dazu ein *Beispiel:* Bei einer vierköpfigen Bedarfsgemeinschaft wird zunächst wird ein Antrag auf ALG II und den befristeten Zuschlag abgelehnt, weil das Einkommen nach den Maßstäben des Gesetzes über dem Mindestbedarf liegt. Dann erhöht sich jedoch der Bedarf der Betroffenen – etwa weil die Ehefrau schwanger wird und Anspruch auf den Mehrbedarfszuschlag für Schwangere hat (siehe Tipp 29). In dieser Situation lohnt es sich für die Familie möglicherweise, erneut einen Antrag auf ALG II zu stellen. Selbst wenn sie dann nur Anspruch auf einige Euro ALG-II-Regelleistungen hätte, könnte ihr damit auch der komplette Zuschlag (bei vier Personen: maximal 440 €) zustehen.

Umgekehrt kann der Anspruch auf ALG II aber auch verloren gehen, wenn sich die Situation der Bedarfsgemeinschaft in die umgekehrte Richtung verändert. Dies kann beispielsweise passieren, wenn ein Kind aus dem Haushalt auszieht. Nach dessen Auszug besteht unter Umständen kein Anspruch auf ALG II mehr, weil das Einkommen der Bedarfsgemeinschaft für die verbleibenden Angehörigen dann ausreicht.

Besonders ärgerlich ist es, wenn der Anspruch auf ALG II durch einen schlecht bezahlten Job verloren geht. Das kann besonders dann schnell passieren, wenn jemand einen niedrigen ALG-II-Grundanspruch hat und zusätzlich den ALG-II-Zuschlag erhält. Auch dazu ein *Beispiel:* Einem (Ehe-)Paar werden monatlich vom Amt 340 € überwiesen, davon entfallen 320 € auf den ALG-II-Zuschlag und nur 20 € auf das eigentliche ALG II.

In solchen Fällen führt die Aufnahme selbst eines Kleinstjobs, bei dem man nur 100 € monatlich verdient, zum Wegfall des kompletten Anspruchs. Die Anrechnung eines Teils des 100-Euro-Verdienstes führt hier nämlich dazu, dass der grundsätzliche Anspruch auf ALG II und damit die Hilfebedürftigkeit wegfällt. Und zu diesem Fall stellen die Durchführungshinweise der Bundesagentur für Arbeit zu § 24 des SGB II lapidar fest. »Bei Wegfall der Hilfebedürftigkeit entfällt auch der Anspruch auf den Zuschlag.«

Im Zweifelsfall keinen Nebenjob aufnehmen

Wer – wie oben geschildert – durch einen niedrig bezahlten Job seinen höheren Zuschlag zum ALG II aufs Spiel setzt, sollte von selbst keinen Mini-Job aufnehmen. Wenn dagegen die Arbeitsagentur einen solchen Job anbietet, darf man dieses Angebot nicht kategorisch ausschlagen. Denn auch Mini-Jobs gelten für Bezieher von ALG II als zumutbar. Wer zumutbare Arbeiten ablehnt, dem drohen Sanktionen (siehe Tipp 108). Dazu gehört auch, dass der Zuschlag zum ALG II zumindest zeitweise wegfällt.

Tipp: Betroffene sollten mit ihrem zuständigen persönlichen Betreuer bzw. »Fallmanager« (siehe Tipp 17) darüber sprechen und erläutern, dass sie gerne jederzeit eine Beschäftigung aufnehmen würden – aber möglichst keinen Minijob. Denn dann hätten sie am Ende noch deutlich weniger Geld als zuvor. Gegebenenfalls können sie sich auch bereit erklären, einen öffentlich geförderten 1- oder 2-Euro-Job anzunehmen (siehe Tipp 105). Denn die bei diesen Beschäftigungen erzielten Einkünfte werden auf das ALG II nicht angerechnet. Solche Jobs gefährden mithin auch nicht den Anspruch auf ALG II – und damit auch nicht den Zuschlag zu dieser Leistung.

Kapitel E
Wer den neuen Kinderzuschlag erhält

50

Tipp 50

!

Für Familien mit niedrigem Einkommen:

Kinderzuschlag statt Arbeitslosengeld II

Ab dem Januar 2005 gibt es nicht nur das neue Arbeitslosengeld II und Sozialgeld. Gleichzeitig tritt auch eine Änderung des Kindergeldgesetzes in Kraft: Durch einen neu eingefügten § 6 a wird der so genannte »Kinderzuschlag« eingeführt. Dieser wird an Eltern gezahlt, die mit ihren Einkünften zwar ihren eigenen, gesetzlich zugestandenen Mindestbedarf bestreiten können, nicht aber den ihrer Kinder. Die Betroffenen wären also ohne den Kinderzuschlag auf ALG II angewiesen.

Wie hoch ist der Kinderzuschlag?
Der Kinderzuschlag ist zeitlich befristet und wird längstens drei Jahre gezahlt. Pro Kind gibt es maximal 140 € monatlich. Die Kinder werden damit zusammen mit dem Kindergeld und dem anteiligen Wohngeld über die ALG-II-Schwelle »gehoben«.

Für wen kommt der Kinderzuschlag in Frage?
Den Kinderzuschlag erhalten nur Eltern, die ihren eigenen Mindestbedarf, den ihnen der Gesetzgeber zugesteht (siehe Tipp 28), selbst decken können (insbesondere durch Erwerbsarbeit), aber nicht denjenigen ihrer Kinder.

Was geschieht, wenn die Eltern ihren eigenen Mindestbedarf und den ihrer Kinder decken können?
Dann gibt es keinen Kinderzuschlag – und auch kein ALG II.

Was geschieht, wenn auch die Eltern ihren Bedarf nicht durch eigenes Einkommen decken können?
Auch in diesem Fall gibt es keinen Kinderzuschlag. Die Betroffenen sind dann auf Leistungen nach dem zweiten Sozialgesetzbuch angewiesen, also auf ALG II und Sozialgeld.

Beispiel 1:

Eine Familie, die in den alten Bundesländern lebt, hat zwei Kinder unter 14 Jahren. Ein Elternteil hat (nach Abzug auch des Freibetrags bei Erwerbstätigkeit, siehe Tipp 84) ein bereinigtes Nettoeinkommen von 1200 €. Die Warmmiete beträgt 600 €.
Ergebnis: Der Eigenbedarf der Eltern beträgt in diesem Fall 622 € (Regelleistung) zuzüglich der Hälfte der Kosten für die Unterkunft. Das sind 300 €. Damit kommen 922 € zusammen. Die Erwerbseinkünfte des verdienenden Elternteils reichen somit aus, um den Bedarf

der Eltern zu decken. Sie sind sogar noch um 278 € höher. Das reicht aber nicht aus, um auch den gesetzlich zugestandenen Bedarf der beiden Kinder (in Höhe von 414 €) zu decken. Daher hat die Familie Anspruch auf zwei Kinderzuschläge. Insgesamt könnte sie dafür maximal 140 € pro Kind, also 280 € erhalten. Auf diese 280 € werden aber 70 Prozent des den Bedarf der Eltern übersteigenden Erwerbseinkommens angerechnet. 70 Prozent von 278 € sind 195 €. Dieser Betrag wird vom maximal möglichen Kinderzuschlag abgezogen. Daher erhält die Familie monatlich einen Kinderzuschlag in Höhe von nur 85 €.

Müssen auch bei der Beantragung des Kinderzuschlags die Einkommens- und Vermögensverhältnisse offen gelegt werden?
Die Anspruchsvoraussetzungen sind weitgehend identisch mit denen beim ALG II. Daher müssen die Betroffenen bei der Antragstellung auch genau die Informationen zu ihrer Einkommens- und Vermögenssituation geben, die auch beim ALG-II-Antrag abgefragt werden.

Wo wird der Kinderzuschlag beantragt?
Bei den Familienkassen der Arbeitsagenturen.

Was ändert sich für diejenigen, die bislang Sozialhilfe bezogen haben, wenn sie statt ALG II den Kinderzuschlag erhalten?
Soweit die Betroffenen Erwerbseinkommen haben – und sei es auch aus einem Mini-Job – werden sie etwas besser gestellt, als wenn sie ALG II bekommen würden. Sie dürfen dann nämlich von ihrem Nettoeinkommen, das wie beim ALG II bereinigt wird (siehe Tipps 83 bis 87), bis zu maximal 42 € pro Monat mehr behalten als ein ALG-II-Bezieher. Dieser Betrag gilt für jedes Kind, das sie im Haushalt versorgen.

Haben auch diejenigen Vorteile, die zuvor Arbeitslosengeld (I) bezogen haben, wenn sie einen Kinderzuschlag statt ALG II bekommen?
In der Regel nicht. Im Gegenteil: Meist haben sie nur Nachteile. Denn wenn sie kein ALG II bekommen, haben sie auch keinen Anspruch auf den Zuschlag zum ALG II, der den Übergang vom Arbeitslosengeld (I) ins ALG II abfedern soll (siehe Tipp 47). Der Kinderzuschlag soll gerade vermeiden, dass ein Anspruch auf ALG II entsteht. Daher können diejenigen, die den neuen Kinderzuschlag erhalten, auch keinen Zuschlag zum ALG II erhalten.

Sind das gravierende Nachteile?
Ja. Eine Familie mit zwei Kindern kann als Zuschlag zum ALG II monatlich bis zu 440 € erhalten. Diesen gibt es aber nicht, sobald die Betroffenen den Kinderzuschlag erhalten (siehe Beispiel 2).

Können die Betroffenen dann nicht einfach ALG II statt den Kinderzuschlag beantragen?
Nein. Das ist nicht möglich. Der Kinderzuschlag ist nach dem Gesetz gegenüber den Leistungen nach dem zweiten Sozialgesetzbuch (ALG II und Sozialgeld) ausdrücklich »vorrangig«. Er muss damit beantragt werden – genau wie vorrangig andere Sozialleistungen in Anspruch genommen werden müssen, auf die ein Anspruch besteht.

51

Beispiel 2:

Eine Familie, die in den alten Bundesländern lebt, hat zwei Kinder unter 14 Jahren. Ein Elternteil hat (nach Abzug auch des Freibetrags bei Erwerbstätigkeit, siehe Tipp 83) ein bereinigtes Nettoeinkommen von 1200 € sowie 308 € Kindergeld. Der andere Partner hat zuletzt ein monatliches Arbeitslosengeld (I) in Höhe von 800 € erhalten. Dieses ist jetzt ausgelaufen. Die Warmmiete beträgt 600 €.

Ergebnis: Würde der Familie ALG II und Sozialgeld zustehen, so würde das Amt folgende Rechnung machen: Der Bedarf der Familie liegt bei 1036 € (Regelbedarf) zuzüglich 600 € Kosten der Unterkunft. Dies sind insgesamt 1636 €. Dem steht ein Einkommen in Höhe von 1508 € gegenüber. Daher hätte die Familie Anspruch auf ein ALG II in Höhe von 128 €. Nun würde geprüft, ob das Elternteil, das vorher Arbeitslosengeld (I) bezogen hat, den Zuschlag zum ALG II (siehe Tipps 47 bis 49) beanspruchen könnte. Das Arbeitslosengeld (I) betrug zuletzt 800 €. Das mögliche ALG II 128 €. Die Differenz beträgt 672 €. Zwei Drittel hiervon können als Zuschlag zum ALG II gezahlt werden. Das wären 448 €. Der Zuschlag zum ALG II ist für eine vierköpfige Familie allerdings auf maximal 440 € begrenzt (2 x 160 € für die Eltern und 2 x 60 € für die Kinder). So viel würde die Familie erhalten, allein der »Kinderanteil« des Zuschlags zum ALG II würde in diesem Fall bei 120 € liegen.

Die hier skizzierte Rechnung kann allerdings nicht aufgemacht werden, da der befristete Zuschlag zum ALG II nicht gewährt werden darf. Denn der Familie steht gar kein ALG II zu, weil sie stattdessen den Kinderzuschlag beantragen muss (siehe Beispiel 1). Fazit: Statt eines Zuschlags zum ALG II in Höhe von 440 € erhält die Familie lediglich einen Kinderzuschlag in Höhe von 85 €.

Die Betroffenen werden also durch eine Leistung, durch die Familien besser gestellt werden sollen, tatsächlich schlechter gestellt?

Das ist so.

Kann man sich dagegen nicht wehren?

Doch. Man kann Widerspruch und Klage einreichen. Mehr dazu finden Sie im folgenden Tipp.

!

Tipp 51

Wenn der Kinderzuschlag den ALG-II-Zuschlag killt:

Widerspruch einlegen

Wer Anspruch auf den Kinderzuschlag nach dem Kindergeldgesetz hat, dem steht kein ALG II zu. Und wer kein ALG II erhält, der bekommt auch keinen befristeten Zuschlag zu dieser Leistung. Das ist im SGB II so festgelegt. Allerdings: Es bestehen erhebliche Zweifel, ob diese Regelung verfassungsgemäß ist. Der DGB rät daher Betroffenen – selbst wenn sie Anspruch auf den Kinderzuschlag haben – ALG II und insbesondere den befristeten Zuschlag nach §24 SGB II zu beantragen. Die Ämter werden diese Anträge in aller Regel ablehnen. Dagegen sollte man sich dann per Widerspruch (siehe Tipp 110) wehren. Einen Musterwiderspruch finden Sie auf der Nebenseite. Gewerkschaftsmitglieder sollten sich bei Ablehnung dieses Widerspruchs von den gewerkschaftlichen Rechtsschutzstellen beraten lassen.

51

Evelyn Baumeister
Schlossallee 1448 c
40229 Düsseldorf
Kundennummer …

An das
Job-Center …

Ihre Ablehnung meines Antrags auf Arbeitslosengeld II
und auf den befristeten Zuschlag nach § 24 SGB II

Düsseldorf, den 5. 1. 2005

Sehr geehrte Damen und Herren,

gegen Ihren Bescheid vom 12.12. 2004 lege ich hiermit **Widerspruch** ein.

Begründung:
Die Gewährung auf Leistungen nach dem SGB II wurde abgelehnt, obwohl meine Familie und ich hilfebedürftig sind. Unser Familieneinkommen reicht nicht aus, um unseren Bedarf zu decken, es reicht lediglich für meinen Bedarf und den meines Ehepartners. Für den Lebensunterhalt meiner beiden Kinder wurde ich auf Leistungen des § 6a Bundeskindergeldgesetz (Kinderzuschlag) verwiesen.

Selbst wenn wir diese Leistungen erhalten, wird das Einkommen für mich und meine Familie geringer ausfallen als die Leistungen, die wir als Bedarfsgemeinschaft nach dem SGB II erhalten würden. Da uns ALG II und Sozialgeld verweigert werden, entfällt auch die Zahlung des befristeten Zuschlags nach § 24 SGB II, obwohl nach dem Bezug von Arbeitslosengeld (I) noch keine 24 Monate vergangen sind und mir damit der Zuschlag dem Grunde nach zusteht.

Damit werde nicht nur ich schlechter gestellt, sondern die Benachteiligung betrifft insbesondere meine Kinder. Kinder, deren Eltern ihren Lebensunterhalt nicht aus eigenem Einkommen bestreiten können, erhalten nämlich pro Kind den Zuschlag in Höhe von 60 €. Ein sachlicher Grund für diese unterschiedliche Handhabung besteht nicht. Denn in beiden Fällen reicht das gesamte Einkommen nicht aus, um den Lebensunterhalt für die Familie zu gewährleisten.

Die enge Verknüpfung des ALG-II-Zuschlages an den Vorbezug des Arbeitslosengeld (I) lässt zudem den Schluss zu, dass es sich bei dem Zuschlag noch um Leistungen aus der Arbeitslosenversicherung handelt, zumal die Bundesagentur für Arbeit verpflichtet ist, nach § 46 Abs. 4 SGB II einen »Aussteuerungsbetrag« zu zahlen. Der Aussteuerungsbetrag wird aus den Beiträgen der Arbeitslosenversicherung gezahlt. Da ich dazu Beiträge gezahlt habe, steht mir folglich auch der Zuschlag nach § 24 SGB II zu. Wird mir jedoch diese Leistung vorenthalten, so wird damit in meine grundgesetzlich geschützten Eigentumsrechte eingegriffen.

Mit freundlichen Grüßen
Evelyn Baumeister

Kapitel F
Wie viel Vermögen erlaubt ist

52

Tipp 52

Keine Panikreaktionen:

Gewisses Vermögen ist erlaubt

Wenn Sie Arbeitslosengeld II beantragen, überprüfen die Ämter, ob Sie und Ihre Familie von Ihren Rücklagen leben können. Ist das der Fall, dann erhalten Sie zunächst einmal **keine** Leistungen – jedenfalls so lange Ihr Vermögen höher ist als erlaubt.
Allerdings sollten Sie nun keinesfalls in Panik beispielsweise Ihre Lebensversicherungen oder Sparverträge plündern. Denn ein gewisses Vermögen ist in jedem Fall erlaubt. Darüber hinaus werden Teile Ihrer Rücklagen nicht als anrechenbares Vermögen angesehen – und stehen damit dem Anspruch auf ALG II gar nicht im Wege.
Wir raten Ihnen zu einer gründlichen Bestandsaufnahme, bei der Sie vor allem die folgenden beiden Fragen klären sollten:

- Welches Vermögen ist für Sie persönlich erlaubt?
- Wie hoch ist Ihr anrechenbares Vermögen?

Höhere Freibeträge

Die Freigrenzen für das so genannte Schonvermögen sind höher als viele erwarten, für die ein Antrag auf Arbeitslosengeld II in Frage kommt. Für diejenigen, die bislang Arbeitslosenhilfe bezogen haben und erst recht für frühere Sozialhilfeempfänger wird die Situation sogar besser. Denn die meisten dürfen etwas mehr Vermögen besitzen als bisher, insbesondere weil beim ALG II ein neuer Freibetrag für Altersvermögen eingeführt wurde (siehe Tipp 55). Daraus folgt auch: Wer zuvor mit seinem Antrag auf Arbeitslosen- oder Sozialhilfe gescheitert ist, weil er nach den Maßstäben der Ämter zu hohe (Alters-)Rücklagen hatte, der kann jetzt vielleicht mit einem Antrag auf ALG II Erfolg haben.
Jüngeren allein Stehenden, die ALG II beantragen, wird in jedem Fall ein Vermögen von mindestens 4850 € zugestanden, (Ehe-)Paaren mindestens 9700 €. Meistens ist jedoch – abhängig vom Lebensalter – ein höheres Vermögen erlaubt. So dürfen beispielsweise allein stehende Antragsteller, die 1941 geboren wurden, sogar bis zu 46 830 € besitzen, (Ehe-) Paare in entsprechendem Alter sogar bis zu 93 660 €. Wie das Schonvermögen genau errechnet wird, erfahren Sie in den Tipps 53 bis 55.
Wichtig ist: Neben einem Schonvermögen, das sich innerhalb der gesetzlich definierten Grenzen bewegt, ist für ALG-II-Bezieher unter anderem auch ein angemessenes Auto oder Motorrad und angemessenes Wohneigentum (soweit sie ihr Haus oder ihre Eigentumswohnung selbst bewohnen) erlaubt. Die Regelungen zum erlaubten Kfz sowie zum Wohneigentum finden Sie in den Tipps 62 und 63.

Wer ALG II erhalten möchte, darf ein verwertbares (Geld-)Vermögen und nicht verwertbares Alters-Vermögen besitzen in Höhe von ...

	ab Jahrgang 1948 mindestens	ab Jahrgang 1948 höchstens	vor 1948 geboren:** höchstens
Allein Stehender	4850 €*	23 550 €	46 830 €
(Ehe-)Paare	9700 €*	47 100 €	93 660 €

* Diese geringen Mindestfreibeträge gelten nur für Antragsteller, die jünger als 21 Jahre sind. Schon für 21-Jährige liegen die Mindestbeträge etwas höher.

** Voraussetzung: Beide Partner sind 64 Jahre alt und beide besitzen Vermögen für die Alterssicherung, das nicht verwertbar ist

52

Kassensturz vornehmen

Ihren Vermögensfreibeträgen müssen Sie Ihre anrechenbaren Rücklagen gegenüberstellen. Als »Vermögen« gilt nach dem Antragsformular zum Arbeitslosengeld II »die Gesamtheit der in Geld messbaren Güter einer Person, bewertet zum Zeitpunkt der Antragstellung«.
Zum Vermögen zählen demnach neben Bargeld, Sparbüchern und Aktien auch Lebensversicherungen. Aktien werden mit ihrem Tageskurs bewertet, bei Lebensversicherungen (siehe Tipps 55 und 68) zählt der so genannte Rückkaufswert, der in den jährlichen Mitteilungen zum Stand der Versicherungen aufgeführt ist. Auch der Wert eines Autos, das nicht »angemessen« ist (siehe Tipp 62), oder einer Immobilie, die nicht selbst bewohnt ist oder nicht »angemessen« ist, zählt zum anrechenbaren Vermögen.

Welches Vermögen nicht berücksichtigt wird

Nicht zum anrechenbaren Vermögen zählen:

- Ansparungen aus so genannten Riester-Rentenverträgen, Betriebsrenten und die so genannten Rürup-Renten (siehe Tipp 59),
- Sachen und Rechte, deren Verwertung »offensichtlich unwirtschaftlich« ist (hierdurch sind auch Lebensversicherungen häufig geschützt, siehe Tipp 68),
- für die Alterssicherung bestimmte Sachen und Rechte bei Antragstellern, die von der Rentenversicherungspflicht befreit sind (siehe Tipp 60),
- in Härtefällen auch für die Alterssicherung vorgesehenes Vermögen von Leistungsbeziehern mit geringen Rentenansprüchen (siehe Tipp 61),
- Rücklagen, die für die Beschaffung oder den Erhalt eines angemessenen Hausgrundstücks für behinderte oder pflegebedürftige Personen vorgesehen sind (siehe Tipp 67).

Wessen Vermögen zählt?

Bei der Vermögensprüfung zählt nur das »verwertbare« Vermögen, das tatsächlich einem Mitglied der Bedarfsgemeinschaft (siehe Tipp 22) gehört. Vermögen und Sparguthaben von Verwandten außerhalb dieser Gemeinschaft wird nicht berücksichtigt

– selbst dann nicht, wenn Ersparnisse eigentlich für Angehörige der Bedarfsgemeinschaft vorgesehen sind (siehe Tipp 58). Berücksichtigt wird das verwertbare Vermögen desjenigen, der Arbeitslosengeld II beantragt, sowie das Vermögen seines (Ehe-)Partners. Auch das Vermögen der minderjährigen Kinder, die in der Bedarfsgemeinschaft leben, zählt. Hierfür gelten allerdings Sonderregelungen (siehe Tipp 56).

Umschichtungen möglich

53

Eine der zentralen Fragen vieler Antragsteller ist: Wie kann man, solange man noch nicht auf das ALG II angewiesen ist, Rücklagen retten, die zu hoch sind? Grundsätzlich gilt: Wer sein Geld verprasst, um sich absichtlich »arm und bedürftig zu machen«, macht sich angreifbar. Sinnvolle Ausgaben sind dagegen erlaubt – insbesondere für Dinge und Sachen, die nach dem zweiten Sozialgesetzbuch als»angemessen« gelten (siehe Tipp 69).
Besonders wichtig: Wer Rücklagen und zugleich auch Schulden hat, sollte sein Geld möglichst zur Schuldentilgung verwenden (siehe Tipps 70 und 71).

Verschenken nicht erlaubt

Überschüssiges Vermögen sollte man allerdings nicht verschenken oder an Verwandte übertragen, um sich selbst damit »bedürftig« zu machen. Denn das würde gegen die Verschenkenden ausgelegt. Schenkungen zur bewussten Herbeiführung von »Bedürftigkeit« können von den Ämtern rückgängig gemacht werden. Zudem drohen den Schenkenden dann Sanktionen (siehe Tipp 72).

Erben zahlen

Stirbt ein Hilfeempfänger mit erlaubtem Vermögen (zum Beispiel mit einem selbst genutzten Haus), so können dessen Erben grundsätzlich zum Ersatz der ALG-II-Zahlungen herangezogen werden (siehe Tipp 73). Die Vermögensfreibeträge, die dem Hilfeempfänger zugestanden werden, gelten dabei für seine Erben nicht mehr.

!

Tipp 53

Für die meisten Antragsteller:

200 Euro pro Lebensjahr sind für verwertbares Vermögen frei

Wie viel verwertbares Vermögen Sie nach den Regelungen des SGB II besitzen dürfen, hängt maßgeblich von Ihrem Alter ab. In diesem Tipp finden Sie die Regelungen, die für Sie gelten, wenn Sie **1948 oder später geboren** wurden.
Erlaubt sind dann für einen allein Stehenden in jedem Fall 4100 € – gleichzeitig aber mindestens **200 € pro Lebensjahr.** Praktisch bedeutet dies: Für Antragsteller, die noch nicht 21 Jahre alt sind, gilt der 4100-Euro-Freibetrag. Wer 21 oder älter ist, kann seinen

Grundfreibetrag nach der Methode Alter x 200 € ausrechnen. Einem 50-Jährigen stehen damit 10 000 € Schonvermögen zu. Hinzu kommt noch für alle ein altersunabhängiger Freibetrag von **750 € für »notwendige Anschaffungen«.** Dem 50-Jährigen stehen damit insgesamt 10 750 € zu.
Bei (Ehe-)Paaren, die ALG II beantragen, können beide Partner den 200-Euro-Freibetrag geltend machen. Wenn zwei 50-Jährige ALG II beantragen, können sie damit Vermögensfreibeträge in Höhe von insgesamt 20 000 € geltend machen, mit ihren zusätzlichen Freibeträgen für notwendige Anschaffungen (2 x 750) dürfen die (Ehe-) Partner insgesamt 21 500 € Schonvermögen besitzen.
Für **Kinder unter 18 Jahren** gilt ein Freibetrag in Höhe von **4100 €.** Darüber hinaus sind auch für sie noch 750 € für notwendige Anschaffungen erlaubt – so dass Kindern insgesamt ein Vermögen in Höhe von 4850 € zugestanden wird. Wichtig ist: Die Vermögensfreibeträge von Kindern und Eltern werden nicht zusammengerechnet. Für Kinder und Eltern wird damit getrennt geprüft, ob ihre jeweiligen Rücklagen die Freibetragsgrenzen sprengen (siehe Tipp 56).

Tipp 54

Für ältere Antragsteller:

520 Euro pro Lebensjahr sind für verwertbares Vermögen frei

Die folgenden Regelungen gelten für Antragsteller, die **vor 1948 geboren** wurden: Für diejenigen, die 1947 oder früher geboren wurden, gilt ein Freibetrag in Höhe von **520 €** pro Lebensjahr. Einem 60-Jährigen steht damit ein verwertbares Schonvermögen in Höhe von 31 200 € zu. Hinzu kommt auch für Ältere der altersunabhängige Freibetrag in Höhe von 750 € (siehe Tipp 53) – insgesamt darf ein 60-Jähriger damit Ersparnisse in Höhe von 31 950 € besitzen.
Für (Ehe-)Paare gilt: Ihnen stehen jeweils die ihrem Alter entsprechenden Freibeträge zu. Sind beide Partner vor dem 1948 geboren, so steht ihnen jeweils der 520-Euro-Freibetrag pro Lebensjahr zu. Ist einer der Partner dagegen jünger, so steht ihm oder ihr nur der niedrigere 200-Euro-Freibetrag (siehe Tipp 53) zu.
Ein *Beispiel:* Zum Januar 2005 beantragt ein Paar ALG II. Die Ehefrau ist 60 Jahre, der Ehemann 55 Jahre alt. Für die Ehefrau ist in diesem Fall ein Schonvermögen in Höhe von 31 950 € erlaubt, für ihren Ehemann nur eines von 11 750 € (55 Jahre x 200 €, zuzüglich 750 €). Für das Paar kommen damit insgesamt für Vermögen, das jederzeit verwerten werden kann und darf, Freibeträge in Höhe von 43 700 € zusammen.

Tipp 55
Zusatzfreibetrag für Altersvermögen

Dafür müssen aber oft (Lebens-)Versicherungsverträge geändert werden

55

Zusätzlich zu den in den Tipps 53 und 54 vorgestellten Freibeträgen für »verwertbares« Vermögen sind noch weitere 200 € pro Lebensjahr und Partner anrechnungsfrei – allerdings nur für »geldwerte Ansprüche, die der Alterssicherung dienen«. Das bestimmt § 12 Abs. 2 Nummer 3 des zweiten Sozialgesetzbuchs.
Dieser Freibetrag wird jugendlichen Antragstellern genauso gewährt wie älteren, allerdings nur für private Altersrücklagen, die vor dem Rentenalter nicht »verwertbar« sind, an die also ALG-II-Antragsteller oder ihre Partner vor dem Rentenalter nicht herankommen können. Viele private Rentenverträge und alle herkömmlichen Kapitallebensversicherungen werden deshalb nicht als Altersrückstellungen anerkannt. Denn Lebensversicherungen, die immerhin rund 70 Prozent der Bundesbürger besitzen, können – selbst wenn sie bis zum Rentenalter abgeschlossen sind – jederzeit bei Bedarf aufgelöst und kapitalisiert werden.
Wer mit einer Kapitallebensversicherung fürs Alter vorgesorgt hat und demnächst auf das ALG II angewiesen ist, sollte deshalb möglicherweise seinen Lebensversicherungsvertrag ändern – noch vor Abgabe des Antrags auf ALG II. Mit seiner Versicherungsgesellschaften sollte er einen teilweisen Verwertungs-Ausschluss bis zur Höhe von 200 € pro Lebensjahr vor dem Ruhestand vereinbaren. Eine solche Vereinbarung ist möglich. Denn im Versicherungsvertragsgesetz tritt am 1. Januar 2005 extra ein neuer Absatz 3 in § 165 in Kraft. Danach können Lebensversicherungen so gestellt werden, dass der vor einer vorzeitigen Verwertung geschützte Betrag maximal 200 € pro Lebensjahr des Versicherten und seines Partners beträgt. Wenn zum Beispiel beide Partner jeweils 50 Jahre alt sind, so kann damit insgesamt ein Verwertungsausschluss über 20 000 € vereinbart werden. Dieser Betrag ist dann als Alters-Vermögen geschützt.
Der Gesamtverband der deutschen Versicherungswirtschaft (GDV) empfiehlt den insgesamt 130 Anbietern von Kapitallebensversicherungen, diese Regelungen umzusetzen. Helmut Brunner ist Abteilungsleiter bei der Debeka-Hauptverwaltung. Er erläutert, wie seine Gesellschaft verfährt.

Hat der Versicherte einen Rechtsanspruch darauf, dass ein Verwertungsausschluss vereinbart wird?
Brunner: Ein Rechtsanspruch auf einen Verwertungsausschluss besteht nicht. Dennoch bieten wir unseren Versicherungsnehmern, sofern möglich, einen Verwertungsausschluss im Rahmen der gesetzlichen Freibeträge an.

Gibt es Fälle, in denen Sie von einer Vertragsänderung abraten?
Brunner: Es können Gründe gegen einen Verwertungsausschluss sprechen, auf die wir unsere Versicherungsnehmer hinweisen. So macht der Verwertungsausschluss zum Beispiel keinen Sinn, wenn das gesamte Vermögen einschließlich der Lebensversicherung deutlich unter dem Grundfreibetrag von 200 € je vollendetem Lebensjahr bleibt und es unwahrscheinlich ist, dass die Höchstgrenze auf absehbare Zeit erreicht wird. Gleiches gilt, wenn der Rückkaufswert für einen gewissen Zeitraum um

mehr als zehn Prozent unter der Summe der eingezahlten Beiträge liegt (siehe Tipp 68).

Ist es sinnvoll, wenn Arbeitnehmer vorsorglich einen Verwertungsausschluss vereinbaren, weil sie befürchten, dass sie irgendwann einmal arbeitslos werden?
Brunner: Davon würden wir immer abraten. Da die Vereinbarung unwiderruflich ist, könnte der Versicherungsnehmer auch dann nicht mehr über den betroffenen Teil der Lebensversicherung verfügen, wenn er letztlich doch kein Arbeitslosengeld II beantragen müsste.
Darüber hinaus ist es möglich, dass ein Verwertungsausschluss aufgrund der Vertragskonstellation nicht vereinbart werden kann. Dies ist zum Beispiel der Fall, wenn die Rechte an dem Vertrag abgetreten oder verpfändet sind. Auch wenn der Vertragsablauf vor Vollendung des 60. Lebensjahres liegt, ist der Verwertungsausschluss nicht möglich, denn der Gesetzgeber knüpft den zusätzlichen Freibetrag an die Bedingung, dass die Lebensversicherung für die Altersversorgung bestimmt sein muss.

Ist die Vertragsänderung für den Versicherten mit Kosten verbunden?
Brunner: Aufgrund der Vereinbarung eines Verwertungsausschlusses ergeben sich für Versicherungsnehmer bei uns keine Kosten.

! Tipp 56

Wenn Kinder mehr als 4850 Euro Ersparnisse haben:

Überschüssiges Geld am besten sinnvoll ausgeben

In vielen Familien haben Eltern oder Großeltern Sparbücher für ihre Kinder oder Enkel angelegt. Auch diese spielen eine Rolle, wenn eine Bedarfsgemeinschaft ALG II und Sozialgeld beantragt. Allerdings: Ist das Vermögen eines Kindes zu hoch, so ist weder der Leistungsanspruch seiner Eltern noch der seiner Geschwister gefährdet, sondern nur der Anspruch des betroffenen Kindes, das nach den gesetzlichen Maßstäben zu hohe Rücklagen besitzt.
Auch die Sparguthaben von Kindern müssen im Antrag auf ALG II angegeben werden – und zwar im Zusatzblatt 3 zum ALG-II-Antrag »Zur Feststellung des zu berücksichtigenden Vermögens«. Wer die Sparbücher oder auch andere Geldanlagen, die auf den Namen eines Kindes laufen, im Antrag vergisst, muss später mit unangenehmen Rückfragen vom zuständigen Amt rechnen. Denn wahrscheinlich wurde für die Sparbücher sogar irgendwann einmal ein so genannter Freistellungsantrag für Zinszahlungen bei der Bank oder Sparkasse gestellt. Das bedeutet: Das Sparbuch und die Zinsen sind amtlich registriert.

Wie hoch dürfen die Ersparnisse von Kindern sein?
Für jedes Kind unter 18 Jahren gilt ein Vermögensfreibetrag von 4100 €. Hinzu kommt auch für sie – wie für jedes Mitglied der Bedarfsgemeinschaft – ein Freibetrag in Höhe von 750 €. Ob die Freigrenze von insgesamt 4850 € überschritten ist, wird für jedes Kind extra überprüft.

57

Dazu ein *Beispiel:* Ihr Sohn besitzt ein Sparbuch mit 3000 € und Ihre Tochter eines mit 6000 €. Die Beträge werden nicht zusammengezogen, genauso wenig werden die Freibeträge addiert. In diesem Fall hat Ihr Sohn mit dem niedrigeren Geldvermögen Anspruch auf Unterstützung vom Amt. Ihre Tochter, die 6000 € besitzt, erhält dagegen keine Leistungen. Kinder gehören nämlich nur dann zur Bedarfsgemeinschaft, »soweit sie nicht aus eigenem Einkommen oder Vermögen die Leistungen zur Sicherung ihres Lebensunterhalts beschaffen können«. Das bestimmt § 6 Abs. 2 Nummer 4 des zweiten Sozialgesetzbuchs. Die Tochter, die 6000 € besitzt, muss den Betrag, der die Freigrenze von 4850 € übersteigt, erst einmal für ihren eigenen Lebensunterhalt einsetzen. Erst wenn ihre Ersparnisse wieder im Rahmen des Erlaubten liegen, erhält sie SGB-II-Leistungen vom Amt.

Werden Freibeträge und Vermögen von Eltern und Kindern addiert?
Nein. Addiert wird nur das Vermögen beider Elternteile, beziehungsweise von eheähnlichen Partnern, die gemeinsam in einer Bedarfsgemeinschaft leben (siehe Tipp 25). Ob das Vermögen die erlaubten Freibeträge überschreitet, wird also jeweils für Eltern und Kinder getrennt untersucht. Selbst wenn die Eltern keinerlei Ersparnisse besitzen, also noch viel »Luft« haben, können sie ihre nicht ausgeschöpften Freibeträge nicht auf ein Kind übertragen, das zu viel Sparvermögen hat.

Erhalten Eltern ALG II, wenn die Ersparnisse der Kinder zu hoch sind?
Ja. Der Leistungsanspruch der Eltern wird durch das Vermögen der Kinder nicht berührt – auch nicht derjenige der Geschwister. Selbst wenn ein Kind zu viel Vermögen haben sollte, können Eltern und Geschwister also Arbeitslosengeld II oder Sozialgeld erhalten. Nur das Kind, dessen Rücklagen zu hoch sind, geht leer aus.

Drohen Nachteile, wenn ein Kind seine zu hohen Ersparnisse ausgibt, bevor seine Eltern ALG II beantragen?
Allenfalls dann, wenn das Geld verschleudert wurde (siehe Tipp 69). Für »angemessene« Zwecke darf das Geld jederzeit ausgegeben werden. Ein minderjähriges Kind, das seine Ersparnisse aufbraucht, um zum Beispiel einen Sprachurlaub in England zu machen oder einen Skiurlaub in den Weihnachtsferien, sein Zimmer neu einzurichten oder eine neue Stereoanlage zu kaufen, muss keinesfalls mit Nachteilen oder Sanktionen rechnen. Im Einzelfall könnten wohl selbst Kinder selbst genutztes Wohneigentums erwerben, um höheres Vermögen zu schützen (siehe Tipp 63). Wichtig ist allerdings: Im Zweifelsfall sollten das Kind oder seine Eltern belegen können, wo das Geld geblieben ist. So kann die (mögliche) Vermutung der Ämter entkräftet werden, dass einfach Bargeld »unter dem Kopfkissen« gehortet wird.

! Tipp 57
Auch Ausbildungsversicherungen werden angerechnet

Manche Eltern haben – in »besseren Zeiten« – für ihre Kinder so genannte Ausbildungsversicherungen, manchmal auch »Aussteuerversicherungen« abgeschlossen.

Das sind »normale« Kapitallebensversicherungen, die die Kinder meist in einem bestimmten Lebensalter – etwa mit 18 Jahren – ausgezahlt bekommen. Wie gehen die Ämter mit solchen Versicherungen um, wenn ALG II beantragt wird?
Die Versicherungen gehören grundsätzlich zum »verwertbaren Vermögen«, teilt die Bundesagentur für Arbeit auf Anfrage mit. Sie stehen also nicht unter einem besonderen Schutz. Bleibt die Frage: Wem gehört die Versicherung – dem Kind oder den Eltern?
Hierbei kommt es auf die genaue Vertragsgestaltung an. »Bei der klassischen Ausbildungsversicherung ist der ‚Ernährer', also der Vater oder die Mutter, gleichzeitig Versicherungsnehmer, versicherte Person und Beitragszahler«, erläutert Helmut Brunner von der Versicherungsgesellschaft Debeka. Das Kind ist zwar »bezugsberechtigt«, aber nicht unwiderruflich. Deshalb gehört das Vermögen aus einem so konstruierten Vertrag auch nicht dem Kind, sondern den Eltern. Wenn durch den aktuellen Wert einer Ausbildungs- oder Aussteuerversicherung (Rückkaufswert) die Grenze der erlaubten Freibeträge der Eltern überschritten wird, erhalten diese also kein ALG II.

! Tipp 58
Nur Vermögen der Bedarfsgemeinschaft zählt

Eine besorgte Mutter fragt: »Ich habe für meinen Sohn (41) vor zwei Jahren zwei kleine Lebensversicherungen abgeschlossen, bei denen ich als Mutter Versicherungsnehmerin bin. Mein Sohn ist die versicherte Person. Im Erlebensfall wird er mit 65 Jahren die Versicherungssumme beziehen. Werden die Lebensversicherungen herangezogen, wenn mein Sohn ALG II beantragt?«
Nein. Denn die Versicherung gehört nicht Ihrem Sohn, sondern – juristisch gesehen – Ihnen als Mutter. Ihr Sohn wird zwar, wenn er 65 Jahre alt ist, die Versicherungssumme erhalten. So lange Sie leben und die Verträge nicht ändern, sind Sie aber Versicherungsnehmerin und Eigentümerin der Verträge. Sie können die Verträge deshalb beispielsweise – ohne Zustimmung Ihres Sohnes – jederzeit kündigen.
Angerechnet werden darf aber nur das Vermögen, das dem ALG-II-Antragsteller selbst oder den mit ihm zusammenlebenden Angehörigen in der Bedarfsgemeinschaft (siehe Tipp 22) gehört. Selbst wenn Sie mit Ihrem erwachsenen erwerbsfähigen Sohn zusammenleben würden, würden Sie mit ihm aber allenfalls eine Haushalts- und keine Bedarfsgemeinschaft bilden (siehe Tipp 23).
Wenn Ihr Sohn demnächst tatsächlich ALG II beantragen muss, gilt der Rückkaufswert der beiden Kapitallebensversicherungen daher für ihn nicht als anrechenbares Vermögen. Deshalb werden auch die Vermögens-Freibeträge Ihres Sohnes durch den Rückkaufswert der Versicherungen nicht geschmälert. Er darf pro Lebensjahr 200 € besitzen. Für Rücklagen, die ausdrücklich der Alterssicherung dienen, kommen noch einmal 200 € pro Lebensjahr dazu. Damit stehen Ihrem 41-jährigen Sohn insgesamt (2 x 200 € x 41=) 16 400 € (Alters-)Schonvermögen zu. Dazu kommen noch 750 € für »notwendige Anschaffungen«.

Tipp 59

Geschützte Vermögen:

Betriebs-, »Riester«- und »Rürup«-Renten

59

Beim ALG II gelten nur solche Spar- oder Rentenverträge als anrechenbares Vermögen, die »verwertbar« sind. Dadurch sind u. a. die »Riester-Rente« und in der Regel auch die betriebliche Altersvorsorge geschützt. Das gilt auch für die neue so genannte Rürup-Rente, das ist eine private kapitalgedeckte Leibrentenversicherung, die steuerbegünstigt ist.
Diese Rücklagen sind nicht »verwertbar«. Hierdurch werden auch die Vermögensfreibeträge nicht aufgezehrt – auch nicht der zusätzliche 200-Euro-Freibetrag für die Altersversorgung (siehe Tipp 55).

Betriebsrenten / Direktversicherungen

Betriebliche Altersversorgungen werden in der Regel nicht berücksichtigt, wenn die Ämter bilanzieren, wie hoch die Rücklagen von ALG-II-Antragstellern sind. Dies gilt in jedem Fall, wenn eine Betriebsrente erst im Ruhestand gezahlt werden und vorher nicht kapitalisiert werden kann. Auch Ansprüche aus betrieblicher Altersversorgung in Form einer so genannten Direktversicherung sind nicht verwertbar, stellt die Bundesagentur für Arbeit in ihren »Hinweisen« zu § 12 SGB II klar: Es bestehe keine Möglichkeit, den Versicherungsvertrag »zu beleihen, zu verpfänden, abzutreten oder das Versicherungskapital (Rückkaufwert) durch Kündigung des Vertrages in Anspruch zu nehmen«.
Aber Achtung: Wenn die Ansprüche eines Arbeitnehmer auf eine betriebliche Altersversorgung nach dem Ausscheiden aus dem Betrieb abgefunden werden – was ausnahmsweise (nicht jedoch bei einer Direktversicherung) möglich ist – gilt der gezahlte Betrag als anrechenbares Vermögen. Ebenso gehören Ansprüche, die ein Arbeitnehmer nach Beendigung eines Beschäftigungsverhältnisses durch eigene Beiträge erwirbt, zum anrechenbaren Vermögen.
Tipp: Wer demnächst (möglicherweise) ALG II beantragt, sollte sich rechtzeitig bei seiner betrieblichen Versorgungskasse oder der zuständigen Versicherung informieren, wie die Ämter seine Betriebsrente behandeln.

»Riester«-Renten

ALG-II-Empfänger, die einen »Riester«-Rentenvertrag abgeschlossen haben, müssen ihr angespartes Guthaben nicht aufbrauchen. Geschützt sind die kompletten Guthaben (Eigenbeiträge und Zulagen). Wird ein Altersvorsorgevertrag allerdings vorzeitig gekündigt, so entfällt der Schutz. Wichtig: ALG-II-Bezieher, die Einkommen – auch aus Sozialleistungen – beziehen, können die Beiträge für Riester-Verträge vom ihrem Einkommen absetzen (siehe Tipp 80).

»Rürup«-Renten

Ab 2005 können private Leibrentenversicherungen abgeschlossen werden, die salopp auch »Rürup-Renten« genannt werden. Diese werden vom Staat steuerlich gefördert, sind damit vor allem für Selbstständige interessant, allerdings auch für Arbeitnehmer. Auch diese »Rürup«-Verträge sind weder beleihbar, noch veräußerbar oder übertragbar. Sie werden frühestens ab dem 60. Lebensjahr ausgezahlt, und zwar – wie die gesetzliche Rentenversicherung – nur in monatlichen Raten. Die Rürup-Rente ist daher »Hartz-IV-sicher«. Das bedeutet: Ansparungen dafür gelten nach dem zweiten Sozialgesetzbuch nicht als verwertbares Vermögen.

! Tipp 60

Bei Befreiung von Rentenversicherung:

Höheres Schonvermögen erlaubt

Wer ALG II beantragt, ist zumeist rentenversicherungspflichtig. Für die wenigen, die von der Rentenversicherungspflicht befreit sind, sieht das SGB II großzügigere Regelungen für das private Vermögen zur Alterssicherung vor.

Die Sonderregelungen gelten für alle, die – gleich aus welchem Grund und egal auf welcher Rechtsgrundlage – »von der gesetzlichen Rentenversicherung befreit« sind. Dies bestimmt § 12 Absatz 3 Nummer 3 des SGB II. Hierauf können sich beispielsweise Selbstständige, Freiberufler, die ehemals eine befreiende private Renten- oder Lebensversicherung abgeschlossen haben, Mitglieder einer berufsständischen Versorgungseinrichtung und ehemalige Beamte berufen. Bei den Betroffenen zählen »Vermögensgegenstände in angemessenem Umfang« nicht zum Vermögen, die »vom Inhaber als für die Altersvorsorge bestimmt« bezeichnet werden.

Die Bundesagentur für Arbeit (BA) führt in ihren Durchführungshinweisen hierzu aus, dass klar erkennbar sein müsse, dass das Vermögen zur Alterssicherung bestimmt ist. »Ein Nachweis kann z. B. die Vorlage einer Versicherungspolice über eine kapitalbildende Lebensversicherung sein.« Wichtig ist dabei: Die Arbeitsagenturen verlangen dabei nicht, dass die Verwertung vor dem Ruhestand ausdrücklich ausgeschlossen ist. Die Betroffenen brauchen daher ihre Versicherungsverträge nicht – wie in Tipp 55 geschildert – anzupassen.

Ebenso wichtig ist: Auf die Höhe der abgeschlossenen privaten (Lebens-)Versicherung kommt es nicht an. »Ist der Nachweis der Alterssicherung erbracht, ist das Vermögen unabhängig von der Höhe nicht zu berücksichtigen«, heißt es in den Durchführungshinweisen der BA.

Tipp: Die Betroffenen dürfen in diesen Fällen neben dem Vermögen zur Alterssicherung (das kann beispielsweise eine Kapitallebensversicherung sein) noch verwertbares Schonvermögen in Höhe der Freibeträge besitzen, die ALG-II-Beziehern generell zustehen (siehe Tipps 53 bis 55). Dazu ein Beispiel: Ein 55-jähriger arbeitsloser Ex-Manager, der von der Rentenversicherung befreit ist, hat zur Alterssicherung eine Kapitallebensversicherung abgeschlossen, die bis zum 60. Lebensjahr läuft. Der derzeitige Rückkaufswert beträgt 300 000 €. Zusätzlich steht dem ledigen Manager noch 11 750 € als Schonvermögen zu (55 Jahre x 200 € plus 750 €).

61

!

Tipp 61

Wer wenig auf seinem gesetzlichen Rentenkonto hat:

Höheres Vermögen zur Alterssicherung erlaubt

Die allgemein geltenden Vermögensfreibeträge (siehe Tipps 53 bis 55) beim ALG II unterscheiden nicht danach, ob jemand gegenüber der gesetzlichen Rentenversicherung bereits viel oder wenig Ansprüche erworben hat. Gibt es für diejenigen, die – aus welchen Gründen auch immer – nur niedrige Rentenansprüche haben, Ausnahmeregelungen?

Ja. Nach § 12 Abs. 3 Nummer 6 des SGB II gilt: »Als Vermögen sind nicht zu berücksichtigen […] Sachen und Rechte, soweit ihre Verwertung […] für den Betroffenen eine besondere Härte bedeuten würde.« In der Gesetzesbegründung wurde dazu ausgeführt: »Ein derartiger Härtefall kann z. B. vorliegen, wenn ein erwerbsfähiger Hilfebedürftiger kurz vor dem Rentenalter seine Ersparnisse für die Altersvorsorge einsetzen müsste, obwohl seine Rentenversicherung Lücken wegen selbstständiger Tätigkeit aufweist.«

Damit wird die Härtefallregelung wieder aufgegriffen, die früher bei der Arbeitslosenhilfe galt. Was genau ein Härtefall ist, bleibt nach der allgemeinen Gesetzesbestimmung offen. Nach der Gesetzesbegründung ist klar, dass Lücken auf dem Rentenkonto und niedrige Rentenansprüche höhere Rücklagen fürs Alter rechtfertigen können. Es gibt jedoch keine eindeutigen Vorgaben, wie niedrig die gesetzlichen Rentenansprüche sein müssen, um sich auf die Härtefallregelung berufen zu können. Und ebenso wenig ist klar, wie hoch die sonstigen Rücklagen fürs Alter dann sein dürfen.

Durch die gesetzliche Regelung können höhere Kapitallebensversicherungen ebenso wie private Rentenversicherungen geschützt sein. Der Schutz kann im Einzelfall – nach der Auskunft der Bundesagentur für Arbeit – auch für nicht selbst genutztes Wohneigentum gelten. Zum Beispiel, wenn ein hilfebedürftiger türkischer Arbeitsmigrant bisher nur niedrige Ansprüche an die gesetzliche Rentenversicherung erworben hat, aber Wohneigentum in der Türkei besitzt, das für ihn eine Art »Altersrücklage« ist – auch deshalb, weil er es als Alterswohnsitz nutzen möchte.

Tipp: Wer erreichen möchte, dass – gestützt auf die Härtefallregelung des SGB II – höheres Vermögen nicht berücksichtigt wird, sollte dies möglichst frühzeitig beantragen – beispielsweise schon mehrere Monate, bevor sein reguläres Arbeitslosengeld (I) ausläuft. Dabei sollte er in jedem Fall eine Übersicht über den aktuellen Stand seines Rentenkontos vorlegen. Zudem sollte er seinem Antrag eine Übersicht über seine privaten Rücklagen fürs Alter beifügen. Gewerkschaftsmitglieder sollten sich in jedem Fall vorher beim gewerkschaftlichen Rechtsschutz beraten lassen. Die gewerkschaftlichen Rechtsschutz-Stellen werden sie gegebenenfalls auch bei Widerspruch und Klage gegen mögliche ablehnende Entscheidungen unterstützen.

Tipp 62
Kraftfahrzeuge im Wert bis zu 5000 Euro sind erlaubt

Der Besitz eines Kraftfahrzeugs war bisher für Empfänger von Arbeitslosenhilfe unproblematisch. Bezieher von Sozialhilfe mussten dagegen zumeist auf einen fahrbaren Untersatz verzichten. Beim SGB II gilt: Bezieher von von ALG II und alle »erwerbsfähigen« Angehörigen, die mit ihnen in der Bedarfsgemeinschaft (siehe Tipp 22) leben , dürfen jeweils ein Auto oder Motorrad haben. Dieses muss aber »angemessen« sein.

62

Um die Angemessenheit des Autos beurteilen zu können, fragen die Ämter im Formular zum neuen ALG II die Antragsteller und ihre im Haushalt lebenden Angehörigen nicht nur danach, ob Kraftfahrzeuge vorhanden sind. Von jedem KFZ, das in der so genannten Bedarfsgemeinschaft existiert, wollen sie außerdem den Namen des Besitzers, das Fabrikat, Modell, amtliche Kennzeichen und Alter des Fahrzeugs sowie den »geschätzten Wert« wissen.

Nach den internen Durchführungshinweisen der Bundesagentur für Arbeit (BA) sollen die Ämter bei der Entscheidung, ob ein bestimmtes Auto erlaubt ist oder nicht, die jeweiligen Umstände des Einzelfalles – also die Größe des Haushalts, die Anzahl der vorhandenen Kraftfahrzeuge und den Zeitpunkt des Erwerbs – berücksichtigen.

Keine Sorgen müssen sich diejenigen machen, die ein KFZ besitzen, dessen möglicher »Verkaufserlös abzüglich noch bestehender Kreditverbindlichkeiten« unter 5000 € liegt. Denn dann dürfen sie ihr Gefährt nach den jüngsten BA-Richtlinien auf jeden Fall behalten.

Ein *Beispiel:* Das Auto hat einen Wert von 6600 €, es ist aber noch mit einem Restkredit in Höhe von 1900 € belastet. Damit hat es nach der BA-Rechnung einen Wert von 4700 € und gilt als angemessen. Die Prüfung des Autopreises sollen die Ämter übrigens »mit den im Internet angebotenen Wertermittlungsprogrammen« vornehmen.

Wenn das Auto mehr als 5000 € wert ist, muss der zuständige Sachbearbeiter entscheiden: Ist es – unter Berücksichtigung des jeweiligen Einzelfalles – trotzdem »angemessen« oder nicht? Wer etwa eine größere Familie hat und Kinder zur Schule fahren muss, wird eher einen teureren PKW behalten dürfen als ein Single. Wer in einer Gegend mit schlechten öffentlichen Verkehrsverbindungen und heftigen Wintereinbrüchen lebt, ist eher auf einen zuverlässigen und teuren Wagen angewiesen als ein Großstädter, dessen Kinder eine nur 500 Meter entfernte Schule besuchen.

Gilt das Fahrzeug nach Einschätzung der Ämter **nicht** als »angemessen«, wird es beim Vermögen berücksichtigt. Allerdings wird nur der die 5000-Euro-Grenze übersteigende Wert auf die für ALG-II-Empfänger zulässigen Freibeträge für verwertbares Vermögen (siehe Tipps 53 und 54) angerechnet.

Sofern diese Freibeträge durch ein zu »teures« Auto oder Motorrad überschritten werden, muss das Fahrzeug verkauft werden oder andere Rücklagen müssen aufgelöst werden. Zunächst gibt es dann kein ALG II – bis das überschüssige Vermögen verbraucht ist.

63

! Tipp 63
ALG II auch für bedürftige Haus- und Wohnungseigentümer

Im »Zusatzblatt 3 des ALG-II-Antrags wird detailliert nach Haus- und Grundbesitz gefragt. Dabei geht es um die Grundstücksgröße, die Wohnfläche, den Anteil der selbst genutzten Wohnfläche, den Verkehrswert, die Miet- und Pachteinnahmen und die Belastungen, womit die Schulden gemeint sind, die Eigentümer noch abzutragen haben. Antragsteller sollten sich nicht von den detaillierten Informationswünschen der Ämter abschrecken lassen, denn in den meisten Fällen wird sich bei dieser Befragung ergeben: Das selbst genutzte Häuschen oder Ihre Eigentumswohnung steht einem Anspruch auf ALG II nicht entgegen.
Wer selbst eine Eigentumswohnung oder ein Haus bewohnt, das nach Wertung der Ämter »angemessen« ist, dem ist ein Verkauf nicht zuzumuten. Wenn die Wohnfläche nicht größer als 130 Quadratmeter (qm) und das Grundstück, auf dem das Haus steht, nicht größer als 500 qm ist (im ländlichen Bereich gilt eine Grenze von 800 qm), gilt eine Prüfung der Angemessenheit als »entbehrlich«. So heißt es in den Durchführungshinweisen der Bundesagentur für Arbeit. Das bedeutet: Das Haus oder die Wohnung spielt dann bei der Vermögensprüfung keinerlei Rolle. In solchen Fällen müssen Arbeitslose, die ALG II beantragen, auch nicht lange nach dem – manchmal schwierig zu ermittelnden – Verkehrswert von Haus und Grundstück recherchieren. Man kann hier einfach eintragen, was das Haus schätzungsweise wert ist. Diese Angabe spielt – wie gesagt – keine Rolle.

Die Angemessenheit der Immobilie nachweisen!

Wenn die Wohnung, das Haus oder Grundstück die oben genannten Grenzwerte überschreiten, ist die Entscheidung über die Unangemessenheit der Immobilie noch nicht gefallen. Dann wird aber eine Einzelfallprüfung vorgenommen. In einem solchen Fall sollte man alles tun, um nachzuweisen, dass die Immobilie trotzdem »angemessen« ist. Wer drei oder mehr Kinder hat, für den können möglicherweise auch 160 qm Wohnfläche als angemessen gelten. Allerdings: Feste Obergrenzen gibt es hier nicht. Den Betroffenen bleibt nichts anderes übrig, als alle Argumente auf den Tisch zu legen, um zu belegen, dass sie ein Haus oder eine Wohnung in dieser Größe benötigen. Neben der Kinderzahl kann dabei als Argument beispielsweise die Pflege von zu Hause lebenden Angehörigen oder die Krankheit eines Familienmitglieds eine Rolle spielen. Ebenso wichtig kann aber auch sein, wenn der Ehepartner aus beruflichen Gründen ein eigenes Arbeitszimmer benötigt. Am besten legt man dann hierzu die Steuererklärung und den Steuerbescheid des Finanzamtes vor. (Kosten für ein Arbeitszimmer können hier in der Zeile »übrige Werbungskosten« aufgeführt sein.)

Wie bei »unangemessenen« Immobilien verfahren wird

Auch wenn klar ist, dass Ihre Immobilie nach den Maßstäben der Ämter zu groß ist, können Sie unter Umständen ALG II erhalten. Sie sollten also auch dann einen Antrag auf Leistungen nach dem zweiten Sozialgesetzbuch stellen. Einige Beispiele, wie die Ämter in solchen Fällen meist verfahren:

Beispiel 1: Ihr Haus ist »angemessen« – das Grundstück jedoch zu groß.
Hier kommt es darauf an, ob das Grundstück teilbar und ob der abgetrennte Teil separat zu verkaufen ist. Falls nicht: Sie werden wahrscheinlich dennoch ALG II erhalten. Falls doch: Die Ämter werden Ihnen erklären, dass Sie zunächst kein ALG II erhalten werden, sondern stattdessen den abtrennbaren Teil des Grundstücks verkaufen und zunächst von dessen Erlös leben können. Das gilt allerdings nur, wenn zusammen mit dem Wert des Teilgrundstücks Ihr Vermögen höher ist als die Ihnen zugestandenen Freibeträge.

Beispiel 2: Ihnen gehört ein recht großes Zweifamilienhaus, eine der Wohnungen nutzen Sie selbst, die andere ist vermietet.
Grundsätzlich hält das Amt es für zumutbar, dass Sie Ihre zweite Wohnung verkaufen und von dem Erlös leben. Deshalb erhalten Sie kein ALG II.

Beispiel 3: Ihnen gehört ein Einfamilienhaus mit Einliegerwohnung. Die Einliegerwohnung nutzen Sie bisher selber.
Wenn die Einliegerwohnung eigentumsrechtlich nicht abtrennbar ist, muss diese auch nicht separat veräußert werden. Nach den Durchführungshinweisen der Bundesagentur für Arbeit »kann vom Hilfebedürftigen in der Regel nicht erwartet werden, sein selbst bewohntes Grundstück zu verkaufen, um an anderer Stelle ein neues Grundstück mit einem vorhandenen oder noch zu bauenden Gebäude zu kaufen«. Allerdings: Zumutbar ist in jedem Fall eine Vermietung der Einliegerwohnung. Die Mieteinnahmen werden dann auf den ALG-II-Anspruch angerechnet (siehe Tipp 37).

Lassen Sie sich beraten

Wenn Ihnen unklar ist, ob Ihr Wohneigentum als angemessen gilt und ob Ihnen gegebenenfalls eine Verwertung zugemutet werden kann, dann sollten Sie sich noch rechtzeitig vor Ihrem ALG-II-Antrag vom zuständigen Amt beraten lassen. Und wichtig ist auch: Wenn Sie hinsichtlich der »Angemessenheit« und »Verwertbarkeit« Ihrer Immobilie anderer Ansicht sind als die Träger, können Sie selbstverständlich gegen deren Bescheid Widerspruch und Klage einlegen (siehe Tipp 110).

Unterkunftskosten werden nicht immer übernommen

Möglicherweise gilt Ihr Häuschen oder Ihre Eigentumswohnung als »angemessen«. Das heißt: In diesem Fall gestehen die Ämter Ihnen den Besitz der Immobilie zu. Sie tragen allerdings nicht unbedingt die vollen Kosten der Unterkunft. So werden insbesondere die Tilgungskosten für noch abzuzahlende Baukredite nicht übernommen. Mehr Informationen hierzu finden Sie in Tipp 39.

Tipp 64
Auch der Alterswohnsitz in der Türkei oder die Ferienwohnung am Chiemsee zählen als Vermögen

Unter Umständen müssen sie verkauft werden

64

Das eigene Häuschen ist genau wie die eigene Wohnung meist vor dem Zugriff der Ämter geschützt. Allerdings: Wie steht es um das Häuschen, das sich zum Beispiel türkische Migranten als Alterswohnsitz in ihrer alten Heimat angeschafft haben, oder um die Ferienwohnung auf Mallorca?
Ferienhäuser, egal ob am Chiemsee oder auf Mallorca und Häuser, die türkische Migranten sich als Alterwohnsitz in Izmir oder Adana gekauft haben, haben eines gemeinsam: Sie werden von ihren Eigentümern nicht als Dauerwohnsitz genutzt. Wer nicht in seinem Eigentum lebt, muss dieses jedoch unter Umständen verkaufen und von dem Erlös leben, bevor die Ämter Arbeitslosengeld II zahlen. Das gilt übrigens im Grundsatz auch für »Datschen« (siehe Tipp 65).
Wichtig ist allerdings: Dies gilt nur dann, wenn der Wert des gesamten Vermögens einschließlich des Wohneigentums die Freibeträge übersteigt, die den Betroffenen zustehen. Beispiel: Herr Cetin ist 1946 geboren, seine Ehefrau 1947. Insgesamt steht den beiden damit 2005 ein Vermögensfreibetrag in Höhe von 62 340 € zu (117 Jahre x 520 € plus 2 x 750 €, siehe Tipp 54). Ihre Wohnung in der Türkei ist 50 000 € wert, daneben haben sie ein Sparbuch mit insgesamt 11 000 €. Ingesamt kommen sie damit auf ein (Geld-)Vermögen in Höhe von 61 000 €. Da sie sogar noch 1340 € mehr besitzen dürfen, müssen die Cetins ihr Haus in der Türkei nicht verkaufen.

Verkehrswert ist entscheidend

In vielen Gebieten der Türkei, vor allem in ländlichen Regionen, erzielt man keine hohen Preise, wenn man eine Immobilie verkauft. In anderen Gebieten (so in vielen Dörfern) sind Immobilien kaum zu verkaufen. In diesem Fall steht der Besitz von türkischem Wohneigentum dem Antrag auf Arbeitslosengeld II nicht entgegen.
Denn als Wert der Immobilie zählt – egal ob sich diese in Deutschland oder im Ausland befindet – der so genannte »Verkehrswert«. Das ist der Preis, zu dem man eine Immobilie ungefähr verkaufen kann. »Die Bewertung der Immobilie ist zunächst Sache des Antragstellers«, erklärte die Bundesagentur für Arbeit auf Anfrage. »Wenn die Agentur diesen Wert nicht nachvollzieht bzw. anzweifelt, muss sie eigene Wertschätzungen in die Wege leiten. Wie das geschehen kann, muss im Einzelfall geprüft werden.« Dazu können gegebenenfalls auch andere Behörden – beispielsweise in der Türkei – eingeschaltet werden.
Wenn die Immobilie zu teuer ist, sollte man deshalb prüfen, ob die folgenden Argumente taugen, um sie zu »retten«.

»Die Immobilie ist als Altersvermögen notwendig«

So kann man unter Umständen argumentieren, wenn man nur niedrige Ansprüche an die gesetzliche Rentenversicherung erworben hat. Weitere Informationen hierzu finden Sie in Tipp 61.

»Ein Verkauf wäre unwirtschaftlich«

Dieses Argument zieht dann, wenn man beim Verkauf der Immobilie deutlich weniger erzielen kann als den Verkehrswert. Ein Verschleudern von Vermögen ist nach dem zweiten Sozialgesetzbuch jedoch nicht zumutbar. Mehr als zehn Prozent Verlust gegenüber dem Verkehrswert sind nach Ansicht der Ämter nicht zumutbar (siehe Tipp 68).
Allerdings: Oft werden alle diese Argumente nicht ziehen. Wer in Istanbul in begehrter Wohnlage oder in Antalya eine Eigentumswohnung besitzt, wird dafür ähnliche Preise wie in deutschen Großstädten erzielen können. In solchen Fällen sollte man sich rechtzeitig überlegen, ob man im Alter tatsächlich in der Türkei leben möchte. Wenn nicht, kann es sich anbieten, die türkische Immobilie zu verkaufen und stattdessen in Deutschland Wohneigentum anzuschaffen und selbst zu nutzen. Dann muss man in Deutschland keine Miete bezahlen und kann – bei längerer Arbeitslosigkeit – grundsätzlich auch Arbeitslosengeld II beziehen. Bevor man irgendwelche Entscheidungen trifft, sollte man sich in jedem Fall ausführlich beraten lassen. Bei Arbeitsloseninitiativen und Beratungsstellen für Migranten kann man sich genau ausrechnen lassen, wie viel Vermögen man besitzen darf. Zudem sollte man einen »Kassensturz« machen und genau ausrechnen, wie hoch – inklusive der Immobile – der gesamte Wert des eigenen Vermögens ist.

Immobilienbesitz im Ausland angeben

Wer Immobilienbesitz verschweigt, läuft im Zweifelsfall sogar Gefahr, sich strafbar zu machen. Wenn etwa deutsche Behörden türkische Stadtverwaltungen um Amtshilfe bitten, werden diese mit ziemlicher Sicherheit die gewünschten Informationen über einen Haus- oder Grundbesitz geben – soweit das Eigentum dort im Grundbuch eingetragen ist. Doch nicht nur durch Amtshilfe von Behörden können die Ämter von Wohnbesitz erfahren, sondern auch durch Mitteilung von Nachbarn oder Bekannten.

! Tipp 65
Verwertung von »Datschen« wird meist nicht verlangt

Müssen auch Gartenlauben und »Datschen« beim Antrag auf Arbeitslosengeld II angegeben? Das wollen vor allem Arbeitslose aus den neuen Bundesländern immer wissen.
Ja, sie müssen angegeben werden. Nur in den wenigen Fällen, in denen jemand in seiner Datsche lebt und keinen anderen Wohnsitz hat, zählen Gartenlaube und Gartengrundstück als privilegiertes Vermögen und werden nicht angerechnet (siehe Tipp 63). Wohnt man aber nicht das ganze Jahr auf dem Gartengrundstück, so zählt der Wert des Grundstücks und der Gartenlaube als Vermögen des Antragstellers. Ist das Grundstück gepachtet, so zählt nur die Gartenlaube als Wert.
Da Datschen oft zwar einen hohen »Liebhaberwert«, aber nur einen geringen »Verkehrswert« haben, müssen sie zumeist nicht verwertet bzw. verkauft werden, bevor

es ALG II gibt. Ihr Wert wird nur berücksichtigt, wenn die Ämter prüfen, ob das geldwerte Vermögen der Antragsteller insgesamt die Grenzen des Erlaubten übersteigt. Ist das nicht der Fall, dann kann auch der Datschen-Besitzer ALG II erhalten.

! Tipp 66
Eigenheim selbst nutzen – sonst gibt es kein ALG II

»Ich habe viele Jahre mühsam gespart, um mir was Eigenes zu kaufen – und jetzt werde ich dafür bestraft!« Dagmar Fischer ist wütend. Die Grafikerin ist arbeitslos und wird dennoch kein ALG II erhalten. Denn sie hat ihre schöne Eigentumswohnung vermietet, um an mehr Geld zu kommen und wohnt selbst in einer kleinen billigen Mietwohnung.

Damit eine Immobilie nicht als Vermögen beim ALG II angerechnet wird, muss sie »angemessen« sein (siehe Tipp 63) und selbst genutzt werden. Häufig kommt es jedoch vor, dass Eigentümer gar nicht in ihrem Haus oder ihrer Wohnung leben – wie Dagmar Fischer. Der Grafikerin wurde mit Beginn ihrer Arbeitslosigkeit ihre noch mit 40 000 € belastete Eigentumswohnung zu teuer. Sie suchte sich daher für ihre Wohnung einen Mieter und zog selbst in eine billigere Mietwohnung. Das war ihr Fehler. Denn wenn ihr Arbeitslosengeld (I) demnächst ausläuft, wird sie kein ALG II erhalten. Die Ämter halten es nämlich grundsätzlich für zumutbar, dass Antragsteller zunächst einmal eine nicht selbst genutzte Immobilie verkaufen

Wer wie Dagmar Fischer aus einer Zwangslage heraus sein Eigenheim oder seine Eigentumswohnung nicht selbst bewohnt, hat also beim ALG II das Nachsehen. Wer dies vermeiden will, sollte bei Arbeitslosigkeit niemals aus seinem Eigenheim ausziehen. Wäre Dagmar Fischer diesem Ratschlag gefolgt, stünde ihr demnächst ALG II zu. Und darüber hinaus würde das Amt auch für angemessene laufende Kosten ihres selbst genutzten Eigentums aufkommen (siehe Tipp 39).

Tipp: Eigentümer, die in absehbarer Zeit möglicherweise auf ALG II angewiesen sind und ihre Wohnung vermietet haben, sollten deshalb am besten so schnell wie möglich ihr Eigentum wieder selbst nutzen.

! Tipp 67
Ersparnisse für Wohnraum von Pflegebedürftigen sind Tabu

Ist Ihre Mutter, Ihr Kind oder auch Ihre Verlobte behindert oder pflegebedürftig? Soll für diese Wohneigentum erworben oder umgebaut werden? Dann sind Ersparnisse, die für diese Zwecke vorgesehen sind, von der Verwertung ausgenommen.

Der besondere Schutz von Geldmitteln, die für Wohnzwecke behinderter und schwerbehinderter Menschen vorgesehen sind, ist in § 12 Abs. 3 Nr. 5 des zweiten Sozialgesetzbuches festgeschrieben. Die Person, für die Wohneigentum gekauft, erbaut, modernisiert oder umgebaut werden soll, muss dabei nicht zur Bedarfsgemeinschaft gehören. Es kann sich um die folgenden im zehnten Sozialgesetzbuch (§ 16 Abs. 5) genannten Personengruppen handeln:

»1. der Verlobte,
2. der Ehegatte,
3. Verwandte und Verschwägerte gerader Linie,
4. Geschwister,
5. Kinder der Geschwister,
6. Ehegatten der Geschwister und Geschwister der Ehegatten,
7. Geschwister der Eltern,
8. Personen, die durch ein auf längere Dauer angelegtes Pflegeverhältnis mit häuslicher Gemeinschaft wie Eltern und Kind miteinander verbunden sind (Pflegeeltern und Pflegekinder)«.

Es reicht nicht, einfach zu behaupten, dass man bestimmte Gelder für Wohnzwecke behinderter oder pflegebedürftiger Angehöriger verwenden möchte. »Die konkrete Absicht und Planung ist plausibel darzulegen«, heißt es in den Durchführungshinweisen der Bundesagentur für Arbeit (BA). Dies kann beispielsweise durch Baupläne, Finanzierungspläne und Finanzierungszusagen geschehen. Und »baldig« müssen die Pläne zur Schaffung von Wohnraum sein. Die BA schreibt dazu: »Ein Kaufvertrag sollte jedoch spätestens innerhalb eines Jahres abgeschlossen bzw. die Erhaltungsmaßnahme sollte in dieser Zeitspanne begonnen werden. Der Jahreszeitraum ist entsprechend zu verlängern, solange zwingende rechtliche Gründe der Maßnahme entgegenstehen.«

! Tipp 68
Vermögen muss nicht unter Wert verkauft werden

»Junge« Lebensversicherung meist geschützt

Ihre Ersparnisse und Geldanlagen sind höher als die Freibeträge, die das SGB II Ihnen zugesteht? Dann ist dieser Tipp für Sie wichtig: Manche Vermögensbestandteile werden nach dem Gesetz nicht berücksichtigt. Das bedeutet: Auch mit größerem Vermögen können Sie unter Umständen noch ALG II erhalten.
Grundsätzlich gilt hier die »v-w-Regel«. Das bedeutet: Rücklagen oder Ersparnisse müssen »verwertbar« sein, zudem muss das Ergebnis der Verwertung »wirtschaftlich« sein. Die folgenden Tipps drehen sich um diese Grundregeln bei der Vermögens-Bedürftigkeitsprüfung.

Schritt 1: Ist Ihr Vermögen verwertbar?

Als **nicht verwertbar** werden diejenigen Teile des Vermögens angesehen, über die der Inhaber **nicht frei verfügen** kann – z. B. weil sie verpfändet oder beliehen sind. Ein wichtiges Beispiel: Eine Lebensversicherung eines Beziehers von ALG II, die – beispielsweise im Rahmen einer Baufinanzierung – an eine Bank abgetreten ist, gilt für die Ämter nicht als anrechenbares Vermögen.

Schritt 2: Ist die Verwertung Ihres Vermögens wirtschaftlich?

68

Sofern das Vermögen von ALG-II-Antragstellern grundsätzlich als »verwertbar« gilt, wird zusätzlich auch geprüft, ob es »wirtschaftlich« verwertet werden kann. Wenn die mögliche Verwertung »offensichtlich unwirtschaftlich« ist, wird das Vermögen beim ALG II nicht berücksichtigt. Als unwirtschaftlich sehen es die Ämter an, wenn bei der vorzeitigen Verwertung von Geldanlagen oder dem Verkauf von Immobilien oder anderen Vermögensgegenständen unangemessen hohe Verluste entstehen würden, das bedeutet: wenn man beim Verkauf wesentlich weniger als den »Verkehrswert« erzielen würde.

Bei Lebensversicherungen gilt: **Verluste von mehr als zehn Prozent** – gemessen an der Summe der bisherigen Einzahlungen – gelten dabei als unangemessen. Ein Beispiel: In eine Kapitallebensversicherung wurden insgesamt 40 000 € eingezahlt, der aktuelle Rückkaufswert bei einer vorzeitigen Kündigung des Vertrags liegt bei 35 000 € liegt, so viel könnte man also aktuell ausgezahlt bekommen. Das bedeutet: Die Versicherung zahlt bei einem vorzeitigen Ausstieg aus dem Versicherungsvertrag 5000 € weniger zurück als bislang eingezahlt wurden. Bei einer Kündigung würde der Versicherte damit nur genau 87,5 Prozent des bislang eingezahlten Betrages erhalten. Das wäre ein »Verlust« von 12,5 Prozent. Schlussfolgerung: Die vorzeitige Kündigung wäre unwirtschaftlich. Der Betroffene gilt deshalb trotz seiner Lebensversicherungs-Rücklagen als »bedürftig« und hat Anspruch auf ALG II – soweit dem ansonsten nichts entgegensteht.

Die 10-Prozent-Regel hat zur Folge, dass ein großer Teil gerade der erst vor einigen Jahren abgeschlossenen Kapitallebensversicherungen als nicht verwertbar gilt. Dazu erklärt Helmut Brunner, Abteilungsleiter bei der Debeka-Versicherung:

Wie lange dauert es, bis der Rückkaufswert einer Kapitallebensversicherung 90 Prozent der eingezahlten Beiträge erreicht?

Brunner: Eine generelle Aussage hierüber ist nicht möglich. Dies hängt u. a. vom Tarif, der Laufzeit und der Vereinbarung von Zusatzversicherungen ab. Eine bei uns in diesem Jahr von einem 30-Jährigen abgeschlossene kapitalbildenden Lebensversicherung auf den Todes- und Erlebensfall mit einer Laufzeit von 30 Jahren und einer unterstellten Gesamtverzinsung von 5,1 Prozent erreicht diesen Wert im achten Versicherungsjahr.

Wie erfahren Versicherungsnehmer, welchen Rückkaufswert ihre Kapitallebensversicherung hat?

Brunner: Den Rückkaufswert für alle Versicherungsjahre teilen wir bei Vertragsbeginn mit. Den aktuellen Wert erfährt der Versicherungsnehmer regelmäßig im Rahmen der Unterrichtung über den Stand der Überschussbeteiligung. Darüber hinaus stellen wir auf Wunsch unseres Versicherungsnehmers jederzeit den Rückkaufswert und die eingezahlten Beiträge seines Vertrages gegenüber.

Tipp 69
Umschichtung von Ersparnissen ist erlaubt – so lange das Geld nicht verprasst wird

Wer ein größeres anrechenbares Vermögen hat, wird kein ALG II und Sozialgeld bekommen. In nicht wenigen Fällen kann es daher nützlich sein, größere Rücklagen aufzulösen und sein Geld für vernünftige Dinge auszugeben. Das ist im Grundsatz völlig legitim – so lange das Geld nicht verprasst wird.

Schulden tilgen

Grundsatz Nummer 1 muss sein: Zunächst Schulden tilgen. Das ist selbst dann möglich (und häufig sinnvoll), wenn es sich um lang laufende Kreditverbindlichkeiten zum Beispiel bei einer Immobilienfinanzierung handelt (siehe Tipps 70 und 71). Wenn nach dem Begleichen von Schulden noch zu viel Geld vorhanden ist, kann man dieses für Dinge ausgeben, die nach den Richtlinien des SGB II »angemessen« sind. Einige Beispiele:

Wohneigentum
Eine »angemessene« Eigentumswohnung, die selbst bewohnt wird, ist vor einer Verwertung geschützt (siehe Tipp 63). Für die Ämter macht es keinen Unterschied, ob die Wohnung schon vor etlichen Jahren oder erst einige Wochen vor dem Antrag auf ALG II gekauft wurde. Diejenigen, die bereits eine (kleine) Immobilie besitzen, können Teile ihrer Ersparnisse in die vielleicht ohnehin bald notwendige Renovierung oder Modernisierung stecken. Wenn man angemessenes Wohneigentum erwirbt oder modernisiert, kann man übrigens eine bestehende Kapitallebensversicherung in die Finanzierung »einbauen«. Der Clou an der Sache: Eine Lebensversicherung, die zur Finanzierung einer Immobilie beliehen oder verpfändet ist, gilt für die Ämter als nicht »verwertbar« (siehe Tipp 68). Wer sein Wohneigentum selbst nutzt, kann also auch eine beliehene oder verpfändete Lebensversicherung besitzen.

PKW
Ein angemessener PKW ist für jeden Bezieher von ALG II erlaubt – ein Luxuswagen gilt allerdings als unangemessen (siehe Tipp 62). Auch hier gilt: Für die Entscheidung der Ämter, ob ein Wagen »erlaubt« ist, spielt es keine Rolle, ob ein Kfz kurz vor dem Antrag auf ALG II gekauft wurde oder bereits einige Jahre zuvor.

»Rürup«-Rente
Im Einzelfall kann es sich auch anbieten, Geld direkt in die eigene Alterssicherung zu investieren. Dazu kann man ab 2005 beispielsweise einen Antrag für eine private Leibrente (salopp: »Rürup-Rente«) abschließen. Eine solche Rente zählt nicht zum verwertbaren Vermögen (siehe Tipp 59). Banken, Sparkassen und Versicherungsunternehmen informieren Sie hierüber.

Belege aufbewahren

Wenn Sie ein halbes Jahr vor dem Antrag auf ALG II ein Sparbuch mit 10 000 € auflösen, kann es Ihnen passieren, dass Ihr Sachbearbeiter Sie später fragt, wo das Geld geblieben ist. Denn grundsätzlich erfahren die Ämter über den Datenabgleich mit dem Bundesamt für Finanzen, dass Sie – beispielsweise – vor einem halben Jahr noch über ein entsprechendes Sparguthaben verfügt haben. Für diesen Fall sollten Sie im Zweifelsfall belegen können, dass und wofür Sie das Geld ausgegeben haben. So können Sie nachweisen, dass Sie nicht etwa heimlich »unter dem Kopfkissen« Bargeld horten.

! Tipp 70
Achtung bei Schulden und Vermögen: Sie werden nicht miteinander verrechnet

Vielleicht halten Sie sich eigentlich für »arm«. Denn Ihre Schulden sind höher als Ihre Ersparnisse. Doch Achtung: So rechnen die Ämter nicht. Ihre Schulden werden im Regelfall nicht mit ihren Rücklagen verrechnet.
Als Vermögen im Sinne des SGB II sehen die Ämter »die Gesamtheit (Bestand) der in Geld messbaren Güter einer Person an«. Da liegt es eigentlich nahe, Ersparnisse und Schulden gegeneinander aufzurechnen. Das machen die Ämter allerdings im Normalfall nicht. Schulden werden nur in Ausnahmefällen berücksichtigt, wenn die Ämter Bilanz ziehen, wie hoch die Rücklagen der Antragsteller sind. Verschiedene Fälle sind zu unterscheiden:

Überzogenes Konto / Ratenkredit

Beispiel 1: Ihr Girokonto ist mit 4000 € überzogen. Zudem haben Sie – als Sie noch ein festes Arbeitsverhältnis hatten – einen Ratenkredit über 4500 € aufgenommen. Gleichzeitig besitzen Sie Wertpapiere im Wert von 10 000 €, die allerdings erst in einigen Jahren frei werden.
Ihre Schulden und Wertpapiere werden nicht gegeneinander aufgerechnet. Wenn der Wert der Papiere zu hoch ist, erhalten Sie kein ALG II. *Tipp:* Lassen Sie sich von Ihrer Bank beraten, wie Sie vorzeitig an Ihr Geld kommen können. Gegebenenfalls können Sie die Wertpapiere auch an Bekannte oder Verwandte verkaufen. Das Girokonto sollten Sie so schnell wie möglich ausgleichen. Beim Ratenkredit sollten Sie prüfen, unter welchen Bedingungen Sie diesen vorzeitig tilgen können. Lassen Sie sich gegebenenfalls auch bei einer Schuldnerberatungsstelle beraten. Achtung: Eile ist geboten. All das müssen Sie erledigen, bevor Sie den Antrag auf ALG II stellen.

Immobilienkredit

Beispiel 2: Sie haben vor einigen Jahren eine Eigentumswohnung erworben, die Sie selbst nutzen. Die Wohnung ist noch mit einem Kredit in Höhe von 70 000 € belastet. Gleichzeitig besitzen Sie eine Kapitallebensversicherung und festverzinsliche Wert-

papiere, die noch für einige Jahre festgelegt sind. Mit diesen Rücklagen wollen Sie später den Kredit tilgen.
Die Lebensversicherung und die Wertpapiere zählen in Ihrem Fall als anrechenbares Vermögen. Sie werden nicht mit ihren 70 000 € Schulden verrechnet. Wenn Sie ALG II beantragen, wird Ihr Antrag unter Verweis auf Ihre Ersparnisse abgelehnt – jedenfalls dann, wenn die Ersparnisse die Grenzen des erlaubten Schonvermögens sprengen. Dass die Ersparnisse zur Tilgung des Kredits dienen sollen, spielt für die Ämter keine Rolle. *Tipp:* Sie sollten prüfen, ob für Sie eine Teiltilgung des Kredits in Frage kommt. Weitere Informationen hierzu finden Sie in Tipp 71.

Beispiel 3: Wie in Beispiel 2, allerdings sind nun die Wertpapiere und die Kapitallebensversicherung offiziell in die Finanzierung der Immobilie einbezogen. Sobald die Lebensversicherung und die Wertpapiere frei werden, wird damit der Kredit getilgt. Sie können daher gar nicht frei darüber verfügen.
In diesem Fall gehen die Kapitallebensversicherung und die Ersparnisse mit dem Wert »O« in die »Vermögensbilanz« ein, die die Ämter aufstellen. Ihre Vermögensfreibeträge werden durch diese Geldanlagen also nicht aufgebraucht.

Beispiel 4: Sie besitzen eine Immobilie, die sie nicht selbst nutzen. Diese ist noch mit einem Kredit in Höhe von 70 000 € belastet.
In diesem Fall zählt die Immobilie zum verwertbaren Vermögen. Es kann Ihnen also grundsätzlich zugemutet werden, diese zu verkaufen. Allerdings wird vorab unter anderem geprüft, ob bei einem Verkauf die Grenzen des in Ihrem Fall erlaubten Schonvermögens gesprengt würden. Dabei wird der Kredit berücksichtigt. Wenn die Immobilie also einen Verkehrswert von 80 000 € hat, wird davon die Kreditbelastung in Höhe von 70 000 € abgezogen. Die Immobilie geht damit mit einem Wert von 10 000 € in Ihre Vermögensbilanz ein.

Autokredit

Beispiel 5: Sie haben sich vor 18 Monaten für 22 000 € ein Peugeot 206 Cabrio gekauft. Der Wagen hat derzeit noch einen Wert von 16 000 €. Er ist noch mit einem Kredit in Höhe von 8000 € belastet. Das zuständige Amt hält den Wagen für »unangemessen«. Der Wagen zählt grundsätzlich zum »verwertbaren« Vermögen. Er geht aber nur mit dem Wert von 3000 € in Ihre »Vermögensbilanz« ein. Dieser Betrag kommt zustande, weil vom Verkehrswert des Wagens zunächst die Kreditbelastung und dann 5000 € als Wert eines »erlaubten« Fahrzeugs abgezogen werden (siehe Tipp 62). Wenn Ihr Vermögen zusammen mit diesen 3000 € innerhalb der Grenzen des Erlaubten bleibt, erhalten Sie ALG II – andernfalls nicht.

71

Tipp 71

Für Besitzer von Wohneigentum:

Vorzeitige Kredit-Tilgung meist möglich – aber kostenpflichtig

Besitzer von Wohneigentum, die noch einen Baukredit »abstottern« müssen und demnächst möglicherweise auf ALG II angewiesen sind, sollten frühzeitig prüfen, ob für sie eine vorzeitige Teil-Tilgung des Immobilienkredits in Frage kommt. Dies gilt jedenfalls dann, wenn sie größere Ersparnisse besitzen. Denn wer zu hohe Ersparnisse hat, geht beim ALG II leer aus. Dies gilt auch für Besitzer von Wohneigentum, die noch hoch verschuldet sind. Gerade für sie kann es sich lohnen, Teile des Kredits vorzeitig abzulösen – und so unter Umständen ihren Anspruch auf ALG II zu sichern, wobei die Ämter auch die laufenden Kreditkosten (ohne Tilgung) und die sonstigen anrechenbaren Kosten der Immobilie übernehmen (siehe Tipp 39).
Eine vorzeitige Kredittilgung von Teilen des Kredits lohnt sich allerdings nur dann, wenn der Anspruch auf ALG II durch die Rücklagen tatsächlich gefährdet ist. Bevor man in Verhandlung mit der finanzierenden Bank tritt, sollte man daher einen umfassenden Vermögens-Check vornehmen.
Wie Banken mit Sondertilgungs-Wünschen umgehen, erläutert das Kreditoffice der Postbank:

Sind Sondertilgungen möglich?
Postbank: Der Kunde sollte zuerst im Darlehensvertrag nachsehen, ob es dort eine entsprechende Regelung gibt.

Und wenn im Vertrag nichts steht?
Postbank: Auch dann ist unter gewissen Voraussetzungen eine Teilablösung des Kredits möglich.

Das würden Sie sich aber bezahlen lassen?
Postbank: Nur wenn uns aus der vorzeitigen Darlehensrückführung ein wirtschaftlicher Nachteil entsteht, würden wir für den gekündigten Teilbetrag eine Vorfälligkeitsentschädigung erheben, die wir nach den Vorgaben des Urteils des Bundesgerichtshofes vom 7. November 2000 (Az XI ZR 27 / 00), berechnen.

Grenzen bei Vorfälligkeitsentschädigungen

Die bei einer vorzeitigen Kredittilgung zu zahlenden Vorfälligkeitsentschädigungen sind oft unangemessen hoch. Der Bundesgerichtshof (BGH) hat deshalb in seinem oben zitierten Urteil Grenzen und Kriterien für die Berechnung festgelegt. Die Entscheidung bedeutet: Hat die Bank eine Entschädigung unangemessen hoch festgesetzt, können betroffene Verbraucher zu viel gezahlte Beträge auch im Nachhinein zurückverlangen. Damit Kreditnehmer eventuelle Ansprüche konkret beziffern können, bietet die Verbraucherzentrale Hessen für 55 € pro Kreditvertrag die Überprüfung von Vorfälligkeitsentschädigungen an. Außerdem gibt's allgemeine Informationen zu diesem Thema dienstags und donnerstags zwischen 10.00 und 14.00 Uhr unter der kostenpflichtigen Telefonnummer 01 90 / 87 32 83.

!

Tipp 72

Große Geschenke können zum Verhängnis werden:

Wenn Schenkende später hilfebedürftig werden

»Wurde Vermögen im In- oder Ausland verschenkt oder gespendet oder auf eine andere Person übertragen?« Das wollen die Ämter im Zusatzblatt 3 des Antrags auf ALG II wissen, in dem es um die »Feststellung des zu berücksichtigenden Vermögens« geht. Was haben Geschenke mit Vermögen zu tun?

Geschenkt ist geschenkt – dieser Satz gilt zumindest dann nicht mehr, wenn der Schenkende später »hilfebedürftig« wird. Nach § 528 des Bürgerlichen Gesetzbuchs (BGB) können (später) verarmte Schenker nämlich die Rückgabe des Geschenks verlangen, wenn sie ihren Lebensunterhalt sonst nicht ausreichend sichern können. Dies gilt für eine Frist von maximal zehn Jahren. Die Frage im ALG-II-Fragebogen bezieht sich also auf diesen 10-Jahres-Zeitraum und auf größere Schenkungen, die tatsächlich Einfluss auf die Lebenssituation der Schenkenden hatten: Etwa die Schenkung eines Hauses, eines Grundstücks oder eines größeren Geldbetrags.

Falls Sie in den letzten zehn Jahren entsprechende Geschenke gemacht haben, können die Ämter Ihnen – wenn Sie heute als »bedürftig« gelten – zwar kein ALG II verweigern, sie können aber unter Umständen versuchen, sich das an Sie gezahlte Geld von dem oder den Beschenkten zurückzuholen. Das werden die Ämter allerdings nur tun, wenn es Erfolg versprechend ist. Ein Rückforderungsanspruch ist nach dem BGB zum Beispiel ausgeschlossen, wenn der Beschenkte durch die Rückgabe selber arm würde bzw. – wie es in § 529 BGB heißt – »der Beschenkte bei Berücksichtigung seiner sonstigen Verpflichtungen außerstande ist, das Geschenk herauszugeben, ohne dass sein standesmäßiger Unterhalt oder die Erfüllung der ihm Kraft Gesetz obliegenden Unterhaltspflichten gefährdet wird«.

Die Ämter fordern die Rückgabe auch dann nicht, wenn das verschenkte Vermögen von ALG-II-Beziehern »angemessen« war. Wenn Eltern zum Beispiel ihr nach dem SGB II als »angemessen« geltendes Haus (siehe Tipp 63), das sie weiterhin bewohnen, an ihre Kinder übertragen haben, so würde eine Rückforderung des Geschenkes gar nichts an der Situation der Eltern ändern. Denn Sie würden – auch wenn das Haus sich wieder in ihrem Besitz befände – weiterhin als bedürftig nach den Regelungen des zweiten Sozialgesetzbuchs gelten.

Ein besonderes Augenmerk werden die Ämter auf Schenkungen innerhalb des letzten Jahres vor dem Antrag auf ALG II richten. Denn hier liegt die Vermutung nahe, dass die Schenkung erfolgte, um sich eventuell »arm zu machen« und so einen Anspruch auf ALG II zu sichern. In diesen Fällen drohen ALG-II-Beziehern sogar Sanktionen. Die Hilfe kann nach § 31 SGB II abgesenkt werden. Die andere Alternative: Im Einzelfall können die Ämter auch Ersatzansprüche gegen den Hilfeempfänger geltend machen. Davon ist aber »abzusehen, soweit sie den Ersatzpflichtigen künftig von Leistungen zur Sicherung des Lebensunterhalts [...] abhängig machen würden«. Das bestimmt § 34 Abs. 1 SGB II.

73

Tipp 73

Wenn ALG-II-Empfänger Vermögen vererben:

Erben müssen möglicherweise Hilfen rückerstatten

Bis auf wenige Ausnahmefälle (siehe Tipp 42) zahlen die zuständigen Ämter die Leistungen nach dem zweiten Sozialgesetzbuch als (»verlorene«) Zuschüsse. Das Geld muss also nicht zurückgezahlt werden – jedenfalls nicht zu Lebzeiten des Hilfebeziehers. Stirbt dieser, so gelten allerdings andere Spielregeln. Denn Erben können grundsätzlich zum Ersatz der Zahlungen herangezogen werden. Der mögliche Kostenersatz ist aber auf das beschränkt, was der verstorbene ALG-II-Bezieher hinterlassen hat. Die Erben haften also nicht mit ihrem eigenen Vermögen.

Wer erbt, ist nach dem Gesetz dann »verpflichtet« die Leistungen nach dem SGB II zurückzahlen, die der Verstorbene in den letzten zehn Jahren vor seinem Tode bezogen hat, wenn sein hinterlassenes Erbe dafür ausreicht. Das kann zum Beispiel dann der Fall sein, wenn ein Hilfebedürftiger ein »angemessenes« Haus hinterlässt, das dann seine (nicht hilfebedürftigen) Kinder erben.

Zudem bestimmt § 35 Abs. 3 des SGB II: »Der Ersatzanspruch erlischt drei Jahre nach dem Tod des Leistungsempfängers.« Die Ämter müssen ihren Anspruch also innerhalb von drei Jahren geltend machen.

Soweit der Verstorbenen in den letzten zehn Jahren weniger als 1700 € an SGB-II-Leistungen bezogen hat, dürfen sich die Ämter das gezahlte ALG II oder Sozialgeld allerdings nicht von den Erben zurückholen. Nahe Angehörige als Erben könnenin bestimmten Fällen einen erhöhter Freibetrag von 15 500 € geltend machen. Dies gilt allerdings nur dann, wenn ein Verwandter oder Partner mit dem Hilfebedürftigen »nicht nur vorübergehend bis zum Tode des Leistungsempfängers mit diesem in häuslicher Gemeinschaft gelebt und ihn gepflegt hat«, heißt es in § 35 Abs. 2, Nr. 1 SGB II.

Kapitel G
Wie Einkommen angerechnet wird

Tipp 74
Beim ALG II gilt: Bedarf minus Einkommen

74

Wie die Ämter ermitteln, ob Sie einen Anspruch haben

In Kapitel D ging es darum, wie hoch Ihr »Bedarf« nach dem zweiten Sozialgesetzbuch ist und wie Sie diesen errechnen können. Leistungen nach diesem Gesetz – also vor allem das ALG II und Sozialgeld – erhalten Sie jedoch nur, wenn Sie diesen Bedarf nicht aus eigenen Mitteln, vor allem nicht aus Ihrem Einkommen und Vermögen decken können. Zunächst prüfen die Ämter dabei, ob Ihr Vermögen nach den Maßstäben des Gesetzes zu hoch ist. Ist dies der Fall, so erhalten sie zunächst einmal kein ALG II, bis das »überschüssige« Vermögen aufgebraucht ist (siehe Kapitel F).
Liegen Ihre Rücklagen innerhalb der Grenzen des Erlaubten, dann wird geprüft, welche Einkünfte Sie haben. Dabei zählen allerdings nur die Einkünfte, die Sie ab Anfang des Monats erhalten, in dem Sie ALG II beantragen (siehe Tipp 77).
Wichtig ist weiterhin: Es wird nur das Einkommen der Bedarfsgemeinschaft (siehe Tipp 22) angerechnet. Das hat unter anderem zur Folge, dass das Ausbildungsentgelt minderjähriger Kinder häufig nicht mitgerechnet wird, wenn geprüft wird, ob ein Anspruch auf ALG II besteht (siehe Tipp 78).
Für die Einkünfte der Bedarfsgemeinschaft gilt nun: ALG II erhalten Sie nur, wenn Sie ab dem Antragsmonat gar kein anrechenbares Einkommen haben oder wenn dieses niedriger ist als der Bedarf, der Ihnen zusteht.
In diesem Kapitel erfahren Sie, wie Ihr Einkommen angerechnet wird und was anrechnungsfrei ist – was Sie also von Ihren Einkünften behalten dürfen.
Einige Einkünfte werden beim Arbeitslosengeld II überhaupt nicht berücksichtigt. Sie dürfen Sie also zusätzlich zum ALG II und Sozialgeld erhalten (siehe Tipp 75). Andere Einkünfte werden nicht vollständig angerechnet. Einen kleinen Teil davon dürfen Sie behalten, um damit bestimmte Ausgaben (beispielsweise Beiträge zu Versicherungen) bestreiten zu können. Dieses Verfahren nennt sich »Einkommensbereinigung«. Wie es funktioniert und welcher Teil der Einkünfte (auch von Unterhaltszahlungen oder Sozialleistungen, die Sie erhalten) nicht berücksichtigt wird, erfahren Sie in den Tipps 80 bis 82.
Von Einkommen aus Erwerbstätigkeit bleibt für Sie persönlich noch etwas mehr übrig als von anderen Einkünften. Das soll – so das Ziel des Gesetzgebers – »Arbeitsanreize« schaffen. Was Sie oder andere Mitglieder der Bedarfsgemeinschaft von ihrem Lohn und Gehalt oder selbstständigen Einkünften behalten dürfen, darum geht es in den Tipps 83 bis 89.

75

Tipp 75
Erziehungs- und Pflegegeld gibt's zusätzlich zum ALG II

Eigene Einkünfte verringern in der Regel die Ansprüche auf ALG II und Sozialgeld. Davon gibt es nur wenige Ausnahmen.
Anrechnungsfrei ist das **Erziehungsgeld.** Das bedeutet: Wer Arbeitslosengeld II bezieht, kann zusätzlich und ungekürzt das volle Erziehungsgeld erhalten. Und für diejenigen, die bereits Erziehungsgeld beziehen, steht die staatliche Erziehungsleistung einem Antrag auf ALG II nicht im Wege. Wenn geprüft wird, ob darauf ein Anspruch besteht, werden nur die anderen Einkünfte, also beispielsweise der Lohn des (Ehe-)Partners, Kindergeld oder Unterhaltszahlungen berücksichtigt, nicht jedoch das Erziehungsgeld.
Dazu ein *Beispiel:* Eine dreiköpfige Familie hat 1000 € Netto-Einkünfte aus Erwerbstätigkeit. Davon bleiben nach der »Einkommensbereinigung« noch 800 € übrig (siehe Tipps 83 bis 89). Weiterhin bezieht die Familie 300 € Erziehungsgeld und 154 € Kindergeld. Als anrechenbare Einkünfte zählen hier nur 954 € (Kindergeld + bereinigter Lohn). Wenn der Bedarf der Familie bei 1100 € liegt, stockt das Amt deren Einkünfte um 146 € auf 1100 € auf. Zusätzlich erhält die Familie weiterhin 300 € Erziehungsgeld.
Genauso wird mit dem **Pflegegeld** verfahren, das die Betroffenen von der Pflegeversicherung bzw. von einem Pflegebedürftigen für dessen Versorgung erhalten. Dies gilt allerdings nicht für diejenigen, die aus der Pflege einen »Job« machen, die Pflege also gewerblich ausüben.
Auch **Grundrenten** nach dem Bundesversorgungsgesetz, Blindengeld und wenige andere Einnahmen und kleinere Zuwendungen sind anrechnungsfrei (siehe Kasten unten).

Anrechnungsfreie Einkünfte müssen Sie nicht angeben

Laut Ausfüllhinweisen der Bundesagentur für Arbeit zum Antragsvordruck Arbeitslosengeld II vom 16. September 2004 gilt: »Nicht anzugeben ist jedoch Schmerzensgeld, das Sie z. B. aufgrund eines Unfalles erhalten. Nicht angegeben werden müssen Erziehungsgeld, zweckbestimmte Einnahmen und Zuwendungen der freien Wohlfahrtspflege, das Arbeitsförderungsgeld in Werkstätten für behinderte Menschen, die Leistungen der Pflegeversicherung und das Blindengeld.«

Fast alle anderen Einkommen mindern aber die Arbeitslosengeld-II-Zahlungen. Angerechnet werden damit beispielsweise das reguläre Arbeitslosengeld (I), Krankengeld und andere Sozialleistungen, aber auch einmalige Einnahmen wie eine Steuerrückerstattung, die staatliche Eigenheimzulage oder Lotteriegewinne.

Kindergeld wird angerechnet

Gegenüber den Regelungen bei der Arbeitslosenhilfe gibt es beim Katalog der anrechnungsfreien Einkünfte gravierende Verschlechterungen: Vor allem wird das

Kindergeld voll auf die Leistungsansprüche nach dem SGB II angerechnet. Das Kindergeld zählt bei **minderjährigen** Kindern als Einkommen des Kindes. Ein Kind, das 154 € Kindergeld erhält, bekommt daher entsprechend weniger Geld vom Amt. Einen besonderen Fallstrick gibt es, wenn für **volljährige** Töchter oder Söhne Kindergeld gezahlt wird. Darum geht es im folgenden Tipp.

! Tipp 76
Kindergeld für Volljährige zählt als Elterneinkommen – solange es nicht an die Kinder überwiesen wird

Kindergeld gibt es nicht nur für minderjährige Kinder, sondern – auf Antrag – auch für volljährige, beispielsweise für Studierende. Eltern, die ALG II beziehen, sollten den Ämtern gegenüber eindeutig klarstellen und belegen, dass das volljährige Kind die staatliche Kinderleistung erhält. Sonst wird diese den Eltern als Einkommen zugerechnet – und mindert so deren ALG-II-Anspruch.
Probleme bei der Zuordnung des Kindergeldes für Volljährige lassen sich am einfachsten lösen, wenn das Geld von den Familienkassen der Arbeitsagenturen direkt an das erwachsene Kind überwiesen wird. Dies ist nach § 74 des Einkommensteuergesetzes möglich. Am besten teilen hilfebedürftige Eltern noch vor ihrem Antrag auf ALG II der Familienkasse die Kontonummer ihres Kindes mit und bitten, das Kindergeld direkt darauf zu überweisen.
Die kindergeldberechtigten Eltern können den Nachweis, dass das Geld an das Kind geht, auch anders führen: Durch eine vom Sohn oder der Tochter unterzeichnete Erklärung, in der bestätigt wird, dass die Eltern das Kindergeld jeweils weiterleiten. Dabei sollte man jedoch sicherheitshalber beim vor Ort zuständigen Träger nachfragen, ob eine solche Erklärung als ausreichend angesehen wird.
Solange die Söhne und Töchter minderjährig sind, gilt Kindergeld nach dem Willen des Gesetzgebers grundsätzlich als Einkommen der Kinder – auch wenn es auf das Konto der Eltern überwiesen wird.

! Tipp 77
Einnahmen vor dem Antragsmonat zählen nicht

Ausstehende Gelder sollten deshalb vorher gezahlt werden

Wenn Sie ALG II beantragen, ist es für Sie wichtig zu wissen, aus welchem Zeitraum Einkünfte als anrechenbares Einkommen zählen. Was ist beispielsweise mit Arbeitslohn oder einer Sozialleistung, die Sie im Monat vor der Antragstellung erhalten haben?

Die vom Bundeskabinett am 29. September 2004 beschlossene Arbeitslosengeld II/Sozialgeld-Verordnung zieht hier eine eindeutige Grenze: Danach werden laufende Einnahmen immer nur für den Monat berücksichtigt, »in dem sie zufließen« und auch einmalige Einnahmen (etwa eine Steuererstattung) sind »von dem Monat an zu berücksichtigen, in dem sie zufließen«.
Damit stellt die Verordnung klar: Alle Einnahmen, die ein ALG-II-Antragsteller vor dem Antragsmonat erhalten hat, zählen nicht als anrechenbares Einkommen. Sie werden allerdings – sofern sie im Antragsmonat noch vorhanden sind – als Vermögen berücksichtigt. Beim Vermögen gelten jedoch großzügigere Anrechnungsregelungen (siehe Kapitel F).

77

Zwei *Beispiele* dazu:
Beispiel 1: Sie beantragen am 10. Januar ALG II. Der letzte Lohn Ihres Arbeitgebers geht am 5. Januar auf Ihrem Konto ein. Es handelt sich um ausstehenden Lohn für den Dezember .
Der Lohn wird im Januar angerechnet, weil er Ihnen im Januar zugeflossen ist. Dass Sie die Arbeitsleistung im Dezember erbracht haben, spielt keine Rolle. Wäre der Lohn bei Ihnen noch im Dezember eingegangen, würde die Zahlung nicht als Einkommen angerechnet.
Beispiel 2: Sie beantragen am 10. Januar ALG II. Am 15. Januar wird Ihnen vom Finanzamt die Steuererstattung für das Jahr 2002 überwiesen: 1650 €.
Da Sie die Erstattung im Antragsmonat erhalten haben, wird sie auch für diesen Monat als Einkommen angerechnet. Dass Ihnen Steuer aus längst vergangener Zeit erstattet wurde, spielt keine Rolle. Würden Sie allerdings erst am 1. Februar ALG II beantragen, so würde die Steuererstattung nicht als Einkommen berücksichtigt.

Ausnahmen möglich

Von dieser klaren »Zufluss-Regel« kann nach den Durchführungshinweisen der Bundesagentur für Arbeit nur in »begründeten Einzelfällen« abgewichen werden – und zwar dann, wenn es eine »besondere Härte« wäre, ein Einkommen, das aktuell zufließt , aber eigentlich in die Vergangenheit gehört, im Antragsmonat zu berücksichtigen.
Die »Hinweise« der BA nennen dazu folgende *Beispiele:*

- Wenn »der Sinn und Zweck der Leistung [...] einer Berücksichtigung als Einkommen entgegen steht (z. B. Insolvenzgeld)«,
- wenn »eine andere Sozialleistung zunächst vorläufig festgesetzt wurde und eine Differenznachzahlung erst während der Bedarfszeit erfolgt«,
- wenn »eine Nachzahlung aufgrund eines Widerspruchs-/Klageverfahrens erst während der Bedarfszeit erfolgt«.

Folgender Fall würde danach beispielsweise als »Härtefall« gelten: Ein Arbeitsloser wurde von der Arbeitsagentur mit einer Sperrzeit beim Arbeitslosengeld (I) belegt. Dagegen wehrt er sich mit Widerspruch und Klage – und gewinnt das Verfahren. Die Nachzahlung des Arbeitslosengeldes (I) erhält er in der Zeit des Bezugs von ALG II.
Tipp: Gestützt auf die Härtefall-Regelung der Bundesagentur kann man versuchen, die Nicht-Anrechnung von Einkommen auch in anderen Fällen zu erreichen: Etwa wenn Lohn verspätet überwiesen wird oder wenn eine Steuererstattung verspätet erfolgt. Falls die Ämter darauf bestehen, die Zahlung auf das ALG II anzurechnen, könnte es sich lohnen, in Widerspruch zu gehen (siehe Tipp 110).

Tipp 78
Wie Einkommen von Kindern angerechnet wird

Dürfen auch Ausbildungsentgelte oder andere Einkünfte von Kindern der ALG-II-Bezieher auf Leistungen angerechnet werden, die der Familie eigentlich zustehen? Je nachdem. Folgende Fälle sind nach dem Gesetz zu unterscheiden:

78

Fall 1: Minderjähriges Kind mit geringem Einkommen

Wenn das anrechenbare Einkommen (egal ob es sich um Unterhaltszahlungen, um Kindergeld oder um eine niedrige Ausbildungsvergütung handelt) den eigenen Bedarf des Kindes nicht deckt, gilt das Kind weiterhin als Mitglied der Bedarfsgemeinschaft und sein Einkommen wird genauso wie das Einkommen der Eltern angerechnet. Wenn das Kind beispielsweise 200 € anrechenbares Einkommen erzielt, bedeutet das, dass die Bedarfsgemeinschaft entsprechend weniger ALG II und Sozialgeld ausgezahlt bekommt.
Der Bedarf des Kindes errechnet sich, indem der für sein Alter geltende Regelsatz und seine anteiligen Pro-Kopf-Kosten für das Wohnen addiert werden. Ein *Beispiel:* Ein Kind ist 16 Jahre alt, lebt in den alten Bundesländern; die Kosten der Unterkunft liegen für seine vierköpfige Familie bei 600 €. Der Regelbedarf des Kindes beträgt 276 €, die anteiligen Kosten der Unterkunft (ein Viertel) 150 €. Sein Gesamtbedarf liegt damit bei 426 €. Liegt sein bereinigtes Einkommen (siehe Tipps 80 bis 89) unter diesem Betrag, so gehört es zur Bedarfsgemeinschaft.

Fall 2: Einkommen ist nur wegen des Kindergeldes höher als der Bedarf

Das Gleiche wie in Fall 1 gilt auch, wenn das Einkommen des minderjährigen Kindes allein wegen des ihm zustehenden Kindergeldes zu hoch ausfällt. In diesem Fall gilt das Kind – nach den Interpretationshinweisen der BA – weiterhin als Mitglied der Bedarfsgemeinschaft. Das »überschüssige« Einkommen des Kindes gilt dann aber ausnahmsweise als Einkommen der Eltern.

Fall 3: Minderjähriges Kind mit zu hohem Einkommen

Dieses gilt nicht als Mitglied der Bedarfsgemeinschaft. Denn das Gesetz bestimmt eindeutig: Minderjährige unverheiratete Kinder gehören nur zur Bedarfsgemeinschaft, »soweit sie nicht aus eigenem Einkommen oder Vermögen die Leistungen zur Beschaffung ihres Lebensunterhaltes beschaffen können« (§ 7, Abs. 3, Nummer 4).
Dazu ein *Beispiel:* Ein 17-jähriger Auszubildender lebt mit seinen Eltern und seinem 13-jährigen Bruder zusammen. Er bezieht eine monatliche Ausbildungsvergütung von 620 € netto. Dies ist auch nach Abzug aller Freibeträge (siehe Tipps 83 bis 89) mehr, als ihm nach dem SGB II als Mindestbedarf zusteht. Damit gehört er nicht mehr zur Bedarfsgemeinschaft. Auch sein Ausbildungsentgelt darf damit nicht zum Einkommen der Bedarfsgemeinschaft gezählt werden. Angerechnet werden dürfen nur Einkünfte seiner Eltern und seines 13-jährigen Bruders.
Der Azubi bildet aber mit seinen Eltern eine Haushaltsgemeinschaft. Unter Umständen wird ein kleiner Teil seines Einkommens daher indirekt berücksichtigt. Ob dies

der Fall ist, richtet sich nach den für Haushaltsgemeinschaften geltenden Regeln (siehe Tipps 23 und 24). Zudem unterstellen die Ämter, dass der Azubi sich anteilig an den Wohnkosten der Familie beteiligt. Für die verbliebene Bedarfsgemeinschaft werden daher vom Amt nur drei Viertel der Miet und Heizkosten getragen. Dies gilt allerdings nur, so lange den Ämtern nicht nachgewiesen wird (etwa per Untermietvertrag), dass man familien-intern eine andere Regelung für die Miete getroffen hat (siehe Tipp 23).

Fall 4: Volljähriges Kind mit Einkommen, das noch bei den Eltern lebt

Ist ein Kind volljährig, so gilt das Gleiche wie in Fall 3. Hat das Kind kein oder ein zu geringes eigenes Einkommen, dann kann es gegebenenfalls selbst einen eigenständigen Antrag auf ALG II stellen (siehe Tipp 22).

! Tipp 79
Andere Sozialleistungen »vorrangig« beantragen

Wer Krankengeld, Arbeitslosengeld (I) oder den zum 1. Januar 2005 neu eingeführten Kinderzuschlag nach dem Kindergeldgesetz (siehe Tipp 50) erhalten kann, muss diese Leistungen immer beantragen. Denn ALG II, Sozialgeld und andere Leistungen nach dem zweiten Sozialgesetzbuch sind »nachrangig«. Sie werden nur dann gezahlt, wenn die Betroffenen keine – oder zu geringe – andere Sozialleistungen erhalten. Das SGB II sieht sogar vor, dass die Job-Center oder die sonst zuständigen Ämter selbst für die Betroffenen Anträge auf andere »vorrangige« Sozialleistungen stellen können. In §5 Abs. 3 SGB II heißt es nämlich: »Stellen Hilfebedürftige trotz Aufforderung einen erforderlichen Antrag auf Leistungen eines andern Trägers nicht, können die Leistungsträger nach diesem Buch den Antrag stellen«.

Übergangsregelungen bei der Rente

Das gilt im Übrigen auch für die Rente. Wer ein vorgezogenes Altersruhegeld erhalten kann – das ist derzeit meist noch mit 60 Jahren möglich – muss dieses grundsätzlich beantragen. Dies gilt – anders als beim Arbeitslosengeld (I) und bis Ende 2004 bei der Arbeitslosenhilfe – auch dann, wenn die Betroffenen wegen der frühzeitigen Antragstellung Abstriche (die bis zu 18 Prozent betragen können) bei der Rente hinnehmen müssen.
Für diejenigen, die **vor Ende 2005** ALG II erhalten und Ende 2005 **mindestens 58 Jahre** alt sind, gelten allerdings Übergangsregelungen. Diese können Sie in den Tipps 98 bis 100 nachlesen.

Tipp 80
Mindestens 30 Euro sind absetzbar

Was Erwachsene von allen Einkünften absetzen dürfen

Auch Bedarfsgemeinschaften, die ALG II erhalten, haben meist irgendein kleineres Einkommen, das allerdings ohne »aufstockende« Zahlungen von Arbeitslosengeld II oder Sozialgeld nicht zum Leben ausreicht. Die Einkünfte mindern zwar in der Regel die Hilfezahlungen, allerdings werden sie nicht vollständig angerechnet. Es erfolgt vielmehr eine »Einkommensbereinigung«, bei der einige Ausgaben des Einkommensbeziehers abgezogen werden.
Im Folgenden finden Sie eine Übersicht darüber, was von **jedem Einkommen** abgesetzt werden kann – also auch etwa von Krankengeld oder Unterhaltsleistungen, die volljährige Mitglieder der Bedarfsgemeinschaft beziehen. Die folgende Liste gilt auch für Einkünfte aus Erwerbstätigkeit. Wer Arbeitseinkommen hat, kann allerdings zusätzlich noch weitere Ausgabeposten von seinen Einkünften absetzen (mehr dazu finden Sie in Tipp 83).

Absetzbar 1:
Beiträge zu gesetzlich vorgeschriebenen öffentlichen und privaten Versicherungen

Diese sind in voller Höhe absetzbar. Hierzu gehört als wohl wichtigster Ausgabenposten für motorisierte Leistungsempfänger die Kfz-Haftpflichtversicherung und bei Besitzern von Wohneigentum die Gebäudebrandversicherung.

Absetzbar 2:
Versicherungspauschale für sonstige angemessene private Versicherungen

Dafür wird eine Pauschale von 30 € monatlich eingeräumt. Abgedeckt werden sollen damit beispielsweise eine Hausrats- und die Haftpflichtversicherung sowie eine Sterbeversicherung. Wenn zwei volljährige Mitglieder einer Bedarfsgemeinschaft Einkünfte erzielen, so können **beide** jeweils 30 € hiervon absetzen – und damit für sich behalten. Ob die Betroffenen tatsächlich entsprechende private Versicherungen abgeschlossen haben, spielt keine Rolle.

Absetzbar 3: Beiträge zur »Riester«-Rente

Der Mindesteigenbetrag zur »Riester«-Rente kann voll vom Einkommen abgesetzt werden. *Tipp:* Für Bezieher von ALG II lohnt sich damit der Abschluss eines »Riester«-Vertrags ganz besonders – jedenfalls dann, wenn sie ein Einkommen haben, von dem sie die »Riester«-Beiträge absetzen können. In diesem Fall müssen sie faktisch keinen eigenen Sparbeitrag leisten und bauen dennoch Ansprüche zu ihrer Alterssicherung auf, die die Ämter ihnen – solange nur der Mindesteigenbetrag eingezahlt wird – auch nicht als Vermögen anrechnen können (siehe Tipp 59).

Absetzbar 4: Angemessene Beiträge zur Gesundheits- und Altersvorsorge von nicht gesetzlich Versicherten

Dieser Freibetrag ist beispielsweise dann wichtig, wenn ein Mitglied einer Bedarfsgemeinschaft von der gesetzlichen Rentenversicherung befreit ist. In diesem Fall können die Beiträge zur Rentenversicherung oder zu einer Kapitallebensversicherung »in nachgewiesener Höhe« (so die Durchführungshinweise der Bundesagentur für Arbeit zu § 11 SGB II) abgesetzt werden.
Wichtig ist noch: Wer **Unterhaltsverpflichtungen** hat – beispielsweise für ein Kind aus erster Ehe – kann unter Umständen auch die Unterhaltszahlungen noch von seinen bereinigten Einkünften absetzen. Wann das möglich ist und wie das geht, steht in Tipp 90.

81

Minderjährige können von Einkünften weniger absetzen

Die Absetzposten 1, 3 und 4 gelten auch für Minderjährige, nicht jedoch Punkt 2. Wer noch nicht 18 ist, kann nach der am 29. September 2004 verabschiedeten »Arbeitslosengeld II/Sozialgeld-Verordnung« den 30-Euro-Pauschbetrag für angemessene private Versicherungen **nicht** vom Einkommen absetzen. Bedeutung hat dies vor allem für das Kindergeld. Denn dieses gilt für Minderjährige als deren eigenes Einkommen (siehe Tipp 76). Durch diese Ausnahmeregelung hat der Gesetzgeber festgelegt, dass die Betroffenen meist vom Kindergeld keinen Cent behalten dürfen – es sei denn, sie besitzen ein Moped (siehe Tipp 81) oder sie haben schon einen »Riester«-Vertrag.

! Tipp 81
Für jugendliche Moped-Besitzer: Kfz-Versicherung vom Kindergeld absetzen

Kindern im »erwerbsfähigen« Alter (ab 15 Jahren also) gesteht das Gesetz ein angemessenes Kraftfahrzeug zu. Für 15-Jährige kommt dabei ein Fahrrad mit Hilfsmotor und für Jugendliche ab 16 ein Moped in Frage. Der Besitz solcher Fahrzeuge steht dem Anspruch auf ALG II nicht entgegen. Niemand muss sein Moped also verkaufen, um zunächst vom Verkaufserlös zu leben.
Wichtig ist aber weiterhin noch: Die dafür obligatorische Haftpflichtversicherung – hierbei kommt schon ein Jahresbetrag von 60 € zusammen – kann vom Kindergeld der Minderjährigen abgesetzt werden. Jugendliche Moped-Besitzer bzw. deren Eltern sollten daher die Versicherungspolice beim zuständigen Träger bzw. Job-Center vorlegen. Die Kinder dürfen dann vom Kindergeld wenigstens so viel behalten wie die Haftpflichtversicherung kostet. In den seltenen Fällen, in denen unter 18-Jährige bereits einen (angemessenen) PKW besitzen, kann natürlich auch die dafür abgeschlossene Kfz-Haftpflichtversicherung vom Kindergeld abgesetzt werden.

Tipp 82
Wie Nicht-Erwerbseinkünfte »bereinigt« werden

Kfz-Versicherung kann immer abgesetzt werden

82

Wer eigene Einkünfte hat und den Bescheid über die Höhe seines ALG II erhält, sollte in jedem Fall überprüfen, ob die Bereinigung des Einkommens korrekt vorgenommen wurde. Das korrekte Verfahren bei der Einkommensbereinigung für **Einkünfte,** die **nicht aus Erwerbstätigkeit** stammen, wird durch folgendes Beispiel eines kinderlosen Ehepaares aus Hamburg deutlich:
Der erwerbslose Ehemann hat als Einkommen Arbeitslosengeld (I) in Höhe von 692 €. Er hat einen »Riester«-Rentenvertrag, bei dem er den für ihn geltenden Mindestbetrag einzahlt – in seinem Fall sind das 25 € pro Monat. Die Ehefrau bezieht 250 € Unterhalt von ihrem Ex-Ehepartner und hat ansonsten kein Einkommen. Sie besitzt ein »angemessenes« Kraftfahrzeug (siehe Tipp 62) und zahlt dafür halbjährlich 360 € an die Kfz-Versicherung, das sind pro Monat 60 €. Welcher Teil des Arbeitslosengeldes (I) und der Unterhaltszahlung wird angerechnet, wenn das Paar ALG II beantragt?

Einkommensbereinigung beim Ehemann:

Einkünfte:	
Arbeitslosengeld (I)	692 €
Abzüge:	
Versicherungspauschale	30 €
Riester-Beiträge	+ 25 €
Insgesamt	**= 55 €**
Anrechenbar:	**637 €**

Einkommensbereinigung bei der Ehefrau:

Unterhaltszahlung	250 €
Abzüge:	
Versicherungspauschale	30 €
Kfz-Versicherung	+ 60 €
Insgesamt	**= 90 €**
Anrechenbar:	**160 €**

Das Ehepaar hat insgesamt ein Monatseinkommen in Höhe von 942 €. Als anrechenbar gelten davon jedoch nur 797 €. Dieser Betrag wird mit ihrem Mindestbedarf beim Arbeitslosengeld II (hier: 622 Euro) und ihren Kosten für Wohnung und Heizung (hier: 318 €) verrechnet. Da der Anspruch des Paars insgesamt 940 € beträgt, erhält es – zusätzlich zu ihren bisherigen Einkünften – monatlich (940 € minus 797 €=) 143 € ALG II.

83

Tipp 83

Werbungs- und Fahrtkosten sowie Erwerbs-Freibetrag:

Was vom Erwerbseinkommen absetzbar ist

Anders als für Bezieher von Arbeitslosengeld (I), die höchstens 14,9 Stunden in der Woche nebenher erwerbstätig sein dürfen, gibt es für Empfänger von ALG II keine zeitliche Grenze bei Jobs, die sie ausüben. Sie können deshalb sogar Vollzeit erwerbstätig sein und – bei wenig Lohn – trotzdem aufstockend ALG II bekommen.
»Arbeitsanreize« soll es für Bezieher von Arbeitslosengeld II geben, erklärt die Bundesregierung. Die Aufnahme einer Arbeit soll sich lohnen – und für diejenigen, die bereits einen Job haben, auch das Weiterarbeiten. Wer Einkünfte aus Erwerbstätigkeit erzielt, darf deshalb vom Arbeitslohn etwas mehr behalten als von anderen Einkünften. Viel bleibt allerdings trotzdem nicht übrig.
Bezieher von ALG II können von ihrem Nettoeinkommen aus Erwerbstätigkeit zunächst einmal auch die Ausgabenposten 1 bis 4 absetzen, die in Tipp 80 genannt sind. Ihr Erwerbseinkommen wird aber zusätzlich noch um folgende zusätzlichen Absetzposten »bereinigt«:

Absetzbar 5: Werbungskosten (ohne Fahrtkosten)

Hierfür wird ein Pauschbetrag in Höhe von 15,33 € monatlich eingeräumt. »Werden höhere notwendige Ausgaben nachgewiesen, so können diese berücksichtigt werden«, heißt es dazu in den »Hinweisen« der BA.

Mögliche Werbungskosten

Als Aufwendungen, die als Werbungskosten berücksichtigt werden können, nennt die BA ausdrücklich: Doppelte Haushaltsführung, Beiträge zu Berufsverbänden und Gewerkschaften, Aufwendungen des Arbeitnehmers für Arbeitsmaterial, Berufskleidung, Arbeitsmittel, Kinderbetreuungskosten, Bewerbungskosten, Fachliteratur, Fortbildung, IT/Telefon, Reisekosten, Umzugskosten, Unfallkosten, Werkzeuge.

Absetzbar 6: Fahrten zur Arbeit

Hierfür wird lediglich pro Arbeitstag ein Pauschbetrag von 0,06 € für jeden Entfernungskilometer (einfache Entfernung) »der kürzesten Straßenverbindung für Wegstrecken zur Ausübung der Erwerbstätigkeit« eingeräumt.
Dazu ein *Beispiel:* Die Arbeitsstelle liegt fünf Kilometer von der Wohnung entfernt, monatlich fallen 20 Arbeitstage an. In diesem Fall räumen die Ämter den minimalen Freibetrag von (0,06 mal 5 mal 20 =) 6 € monatlich ein – und zwar ganz egal, mit welchem Verkehrsmittel die Arbeitsstelle erreicht wird.

Pauschbetrag für Fahrten völlig unzureichend

Durch den äußerst niedrigen Pauschbetrag für Fahrten zur Arbeit, den die Ämter einräumen, werden die tatsächlichen Kosten dafür in keinem Fall abgedeckt. Deshalb sollten erwerbstätige Bezieher von ALG II darauf dringen, dass ihre tatsächlichen Kosten anerkannt werden. Dabei kann man sich auf die von der Bundesregierung beschlossene »Arbeitslosengeld II/Sozialgeld-Verordnung« stützen. Danach dürfen Pauschbeträge (statt tatsächliche Beträge) nur dann berücksichtigt werden, »soweit der erwerbsfähige Hilfebedürftige nicht höhere notwendige Ausgaben nachweist«. *Tipp:* Wer mit öffentlichen Verkehrsmitteln zur Arbeitsstelle fährt, sollte in jedem Fall beantragen, dass seine tatsächlichen Kosten für die günstigste Beförderung (etwa: Monatskarte) als absetzbar anerkannt werden. Wer mit dem Auto fahren muss, sollte in Tipp 89 weiterlesen. Der Pauschbetrag deckt nämlich meist noch nicht einmal die Hälfte der reinen Benzinkosten ab.

Absetzbar 7: Freibetrag bei Erwerbstätigkeit

Dieser Freibetrag soll der eigentliche Anreiz sein, um eine Erwerbstätigkeit aufzunehmen oder fortzuführen. Allerdings: Die meisten Einkommensbezieher dürfen trotzdem beim ALG II weit weniger behalten als früher bei der Sozial- oder Arbeitslosenhilfe. Bei der Arbeitslosenhilfe galt beispielsweise: Mindestens 165 € pro Monat – vielfach auch mehr – durften Leistungsbezieher von ihren Nebeneinkünften in jedem Fall behalten. Und auch bei der Sozialhilfe durften Erwerbstätige meist mehr als 100 € behalten.

Beim Arbeitslosengeld II gilt dagegen: Von jedem Euro Lohn oder Gehalt, den Unterstützungs-Bezieher erhalten, profitieren in erster Linie die Ämter. Wie viel die Einkommensbezieher behalten dürfen, hängt von der Höhe ihres Bruttoeinkommens ab.

- Bei einem Bruttoeinkommen bis zu 400 € sind 15 Prozent anrechnungsfrei.
- Bei einem darüber liegenden Einkommen bis zu 900 € werden 30 Prozent nicht berücksichtigt.
- Beim weiteren Bruttoeinkommen bis 1500 € sind dann wieder 15 Prozent frei.
- Jeder verdiente Cent ab über 1500 € wird voll angerechnet, er verringert also das ALG II in gleicher Höhe.

Wie der Freibetrag genau berechnet wird, darum geht es in den folgenden Tipps. Wie verfahren wird, wenn das Bruttoeinkommen höher als 1500 € ist, steht in Tipp 86.

Zusätzlich kann es »Einstiegsgeld« geben

Gerade für arbeitslose ALG-II-Bezieher, die eine sozialversicherte – oder auch eine selbstständige – Beschäftigung aufnehmen, kann es sich lohnen, bei ihrem persönlichen Ansprechpartner vorher das so genannte Einstiegsgeld zu beantragen. Zusätzlich zum Freibetrag bei Erwerbstätigkeit können die Betroffenen dabei als »Anreiz« zur Arbeitsaufnahme noch bis zu 24 Monate lang eine Zusatz-Zahlung des Amtes erhalten (siehe Tipp 106).

84

Tipp 84

Anleitung zur Berechnung:

Wie viel vom Erwerbseinkommen übrig bleibt

Die Berechnung des Betrags, den Sie als Bezieher von Arbeitslosengeld II von Ihrem Einkommen aus unselbstständiger oder selbstständiger Erwerbstätigkeit behalten dürfen, ist nicht einfach. Die Schwierigkeit liegt darin, dass sich die in § 30 des zweiten Sozialgesetzbuchs formulierte Freibetragsregelung auf Bruttolöhne bezieht, sie muss aber auf den Netto-Lohn angewandt werden. Sie gehen am besten in drei Schritten vor:

Schritt 1: Ermittlung des Prozentsatzes, der im Schnitt anrechnungsfrei ist

Beispiel: Sie verdienen 1000 € brutto. In diesem Fall fällt Ihr Brutto-Einkommen in alle drei »Anrechnungsstufen« (siehe Tipp 83). Für die ersten 400 € gilt Anrechnungsstufe 1 mit einem Satz von 15 Prozent. Für die folgenden 500 € gilt Anrechnungsstufe 2 mit einem Satz von 30 Prozent. Für die letzten 100 € gilt Anrechnungsstufe 3 mit dem gleichen Satz wie in Stufe 1 – also wiederum 15 Prozent.
Für 500 € Ihres Bruttoeinkommens gilt damit ein Freibetragssatz von 15 Prozent und für die anderen 500 € einer von 30 Prozent. Da der gleiche Betrag auf beide Freibetragsstufen entfällt, können Sie einfach den Durchschnitt bilden: Der Durchschnitt von 15 und 30 Prozent liegt bei [(15+30)/2=] 22,5 Prozent. Einen Freibetragsrechner finden Sie in Tipp 87.

Brutto-Netto-Rechner

Wenn Ihnen ein Job angeboten wird, erfahren Sie zunächst immer den Brutto-Lohn. Wie viel vom »Brutto« nach dem Abzug von Steuern und Sozialversicherungsbeiträgen als »Netto« übrig bleibt, können Sie schnell durch so genannte »Brutto-Netto-Rechner« erfahren. Solche Rechner finden Sie im Internet, wenn Sie zum Beispiel bei der Suchmaschine www.google.de »Brutto-Netto-Rechner« eingeben.

Schritt 2: Ermittlung des bereinigten Nettoeinkommens

Nun müssen Sie berechnen, wie viel Sie »bereinigt« netto verdienen.
Als Nettoeinkommen wird bei abhängig Beschäftigten der Betrag zugrunde gelegt, den Ihnen Ihr Arbeitgeber monatlich überweist. Wenn Sie Steuerklasse I haben, kirchensteuerpflichtig sind und 13,8 Prozent Krankenversicherungsbeiträge abführen, sind dies (nach den gültigen Sätzen für 2004) bei einem Bruttolohn von 1000 € genau 777,30 €.
Von diesem Betrag werden alle in Tipps 80 und 83 genannten Absetzposten abgezogen, die für Sie in Frage kommen.
Wenn Sie beispielsweise monatlich 45 € für Ihre Kfz-Versicherung ausgeben, jeden Wochentag zu Ihrer 10 Kilometer von der Wohnung entfernten Arbeit fahren und die Mindestbeiträge zu einem »Riester«-Sparvertrag abführen, können Sie zunächst mindestens folgende Beträge absetzen:

Bruttolohn	**1000,00 €**
Nettoeinkünfte	**777,30 €**
Absetzungsposten:	
Versicherungspauschale	30,00 €
Kfz-Versicherung	+ 45,00 €
Beiträge zu »Riester«-Vertrag	+ 20,00 €
Werbungskostenpauschale	+ 15,33 €
Fahrtkosten (verlangen Sie die Anerkennung eines höheren Betrags, siehe Tipp 89)	+ 12,00 €
Insgesamt	**= 122,33 €**
Bereinigtes Nettoeinkommen	**654,97 €**

Schritt 3: Ermittlung des Freibetrags bei Erwerbstätigkeit

22,5 Prozent Ihres bereinigten Nettoeinkommens werden Ihnen in Ihrem Fall als Freibetrag bei Erwerbstätigkeit zugestanden (siehe oben). 22,5 Prozent von 654,97 € sind 147,37 €. Insgesamt dürfen Sie in diesem Fall 147,37 plus 122,33 € von Ihrem Netto-Einkommen behalten. Das sind insgesamt 269,70 €. Der Rest wird vom bestehenden Leistungsanspruch abgezogen. Der Anspruch Ihrer Bedarfsgemeinschaft auf ALG II (und Sozialgeld) wird sich also um (777,30 minus 269,70 €=) 507,60 € reduzieren.

! Tipp 85
Wie viel vom 400-Euro-Job übrig bleibt

In der Vergangenheit hatten zahlreiche Sozialhilfeempfänger – vor allem auch allein erziehende Frauen – 400-Euro-Jobs angenommen, auch deshalb, weil diese Jobs oft gut mit der Kindererziehung vereinbar waren. Ab 2005 gelten diese Mini-Jobs für Bezieher von ALG II generell als zumutbar. Wenn das Amt ihnen einen solchen Job anbietet, müssen sie ihn also in der Regel annehmen. Deshalb stellt sich die Frage: Wie viel Verdienst bleibt dann eigentlich von einem 400-Euro-Job übrig?

Schritt 1: Ermittlung des Prozentsatzes, der anrechnungsfrei ist

Bei Bruttoeinkommen bis 400 € sind grundsätzlich 15 Prozent des bereinigten Nettoeinkommens anrechnungsfrei (siehe Tipp 83).

Schritt 2: Ermittlung des bereinigten Nettoeinkommens

Nun muss berechnet werden, wie viel »bereinigt« netto verdient wird. 400-Euro-Jobs sind für Arbeitnehmer in der Regel sozialversicherungs- und steuerfrei. Brutto- wie Nettoeinkommen liegen in diesem Fall also bei 400 €. Auf der Grundlage des vollen Betrags von 400 € beginnt damit die »Einkommensbereinigung«. Von den 400 € können zunächst alle in den Tipps 80 und 83 genannten Absetzposten abgezogen werden, die im Einzelfall in Frage kommen.

85

Beispiel 1: Eine ALG-II-Bezieherin verdient als Haushaltshilfe 400 € monatlich. Einen PKW besitzt sie nicht, sie hat auch keinen »Riester«-Sparvertrag, Fahrtkosten fallen nicht an, weil sie in der Nachbarschaft arbeitet.
Beispiel 2: Eine 400-Euro-Jobberin mit einem Kleinkind übt ihre Arbeit an drei Tagen in der Woche aus. Um zu ihrer Arbeit zu gelangen, kauft sie sich für 32,50 € eine Monatskarte der öffentlichen Verkehrsmittel. Dies hat sie vorab mit dem für sie zuständigen Job-Center abgestimmt. Sie besitzt einen kleinen PKW, für den sie monatlich umgerechnet 40 € Versicherungsbeiträge zahlt und sie hat einen »Riester«-Sparvertrag, in den sie den für sie entsprechend ihres Vorjahreseinkommens geltenden Mindest-Eigenbetrag in Höhe von 120 € jährlich einzahlt.

	Beispiel 1	**Beispiel 2**
Nettoeinkommen	400,00 €	400,00 €
Absetzungsposten:		
Versicherungspauschale	30,00 €	30,00 €
Kfz-Versicherung		40,00 €
Beitrag zu »Riester«-Vertrag (auf den Monat umgerechnet)		10,00 €
Werbungskostenpauschale	15,33 €	15,33 €
Fahrtkosten (Monatskarte öff. Verkehrsmittel)		32,50 €
Absetzbar insgesamt	45,33 €	127,83 €
Bereinigtes Nettoeinkommen	**354,67 €**	**272,17 €**

Schritt 3: Ermittlung des Freibetrags bei Erwerbstätigkeit

Vom bereinigten Nettoeinkommen sind hier 15 Prozent als Freibetrag bei Erwerbstätigkeit absetzbar

Bereinigtes Nettoeinkommen	354,67 €	272,17 €
	– 53,20 €	– 40,83 €
Anrechenbares Einkommen	= 301,47 €	= 231,34 €
Verbleibender Verdienst	98,53 €	168,66 €

Das anrechenbare Einkommen beträgt im zweiten Beispiel 231,34 €. Dieser Betrag wird von ihrem bestehenden ALG–II-Anspruch abgezogen. Von ihrem 400–Euro-Verdienst darf die Mini-Jobberin insgesamt also genau 168,66 € behalten. Im ersten Beispiel sind 301,47 € anrechenbar. Deshalb darf diese Mini-Jobberin nur 98,53 € behalten.

Tipp 86
Wie Brutto-Erwerbseinkünfte über 1500 Euro »bereinigt« werden

Freibeträge bei Erwerbstätigkeit räumt das zweite Sozialgesetzbuch nur für den Teil eines Erwerbseinkommens ein, der 1500 € brutto pro Monat nicht übersteigt. Daher stellt sich die Frage: Wie werden (etwas) höhere Bruttomonatsgehälter auf bestehende ALG-II-Ansprüche angerechnet?

Dazu ein *Beispiel:* Ein Arbeitnehmer aus einer vierköpfigen Familie verdient brutto 1600 € im Monat. Dem entspricht (nach den 2004 gültigen Sätzen) bei Steuerklasse III, 2 Kinderfreibeträgen, Kirchensteuerpflicht und einem Krankenversicherungsbeitrag von 13,8 Prozent ein Nettoeinkommen von 1268 €.

86

Schritt 1: Ermittlung des Teils des Nettoeinkommens, der voll angerechnet wird

Ein Freibetrag ist nur für Einkommen bis 1500 € **brutto** vorgesehen (siehe Tipp 83). Der Arbeitnehmer verdient brutto 100 € mehr. Deshalb wird zunächst der Teil des **Netto**einkommens bestimmt, der aus dem 1500 € übersteigenden **Brutto**lohn resultiert. Von dem Nettoeinkommen von 1268 € werden deshalb 100 / 1600 abgezogen – das sind 6,25 Prozent von 1278 €, also 79,25 €. Dieser Teil des Nettoeinkommens wird voll auf das ALG II, das die Bedarfsgemeinschaft erhält, angerechnet. Der Rest – das sind in diesem Fall 1188,75 € – ist die Ausgangsbasis für die folgende Einkommensbereinigung.

Schritt 2: Einkommensbereinigung

Bei der Einkommensbereinigung gibt es keine Besonderheiten. Abgesetzt werden hier die folgenden Pauschal- und Einzelbeträge (siehe dazu Tipps 80 und 83):

Absetzbar:	
Versicherungspauschale	30,00 €
Kfz-Versicherung	+ 45,00 €
Beitrag zu Riester-Vertrag (auf den Monat umgerechnet)	+ 32,00 €
Monatskarte Verkehrsmittel	+ 30,00 €
Werbungskostenpauschale	+ 15,33 €
Insgesamt	= 152,33 €

Ausgangsbasis der Bereinigung (siehe Schritt 1)	1188,75 €
minus Absetzbeträge	– 152,33 €
Bereinigtes Einkommen	**1036,42 €**

Schritt 3: Ermittlung des Freibetrags bei Erwerbstätigkeit

Bei einem Bruttoeinkommen in Höhe von 1500 € werden 20 Prozent des bereinigten Nettoeinkommens als Freibetrag bei Erwerbstätigkeit anerkannt (siehe Tabelle in Tipp 87).

Bereinigtes Nettoeinkommen	1036,42 €
davon absetzbar als Freibetrag bei Erwerbstätigkeit (20 Prozent)	– 207,28 €
Anrechenbares Einkommen	**= 829,14 €**

87

Schritt 4: Ermittlung des anrechenbaren und anrechnungsfreien Gesamtbetrags

Anrechenbar sind:

vom bereinigten Nettoeinkommen (Schritt 3)	829,14 €
vom voll angerechneten Netto (Schritt 1)	+ 79,25 €
insgesamt:	= 908,39 €

Anrechnungsfrei sind:

absetzbarer Freibetrag (Schritt 3)	207,28 €
Absetzbeträge (Schritt 2)	+ 152,33 €
insgesamt:	= 359,61 €

Daraus folgt: Ein Anspruch auf ALG II und Sozialgeld der Bedarfsgemeinschaft wird durch das Netto-Erwerbseinkommen von 1268 € des Arbeitnehmers in diesem Fall um 908,39 € reduziert. 359,61 € von seinem Nettoverdienst darf der Arbeitnehmer behalten.

!

Tipp 87

Freibetragsrechner:

Welcher Anteil Ihres Nettoverdienstes anrechnungsfrei ist

Wie hoch der Anteil Ihres **Netto**erwerbseinkommens ist, der in Ihrem konkreten Fall als »Freibetrag bei Erwerbstätigkeit« gilt, hängt von der Höhe Ihres **Brutto**einkommens ab. Da die konkrete Berechnung des Freibetrags recht kompliziert ist, haben wir für Sie den folgenden »Freibetragsrechner« entwickelt. Daraus können Sie den Prozentsatz entnehmen, der für Sie persönlich zutrifft.
Ein *Beispiel* aus der Übersicht: Wenn Ihr Bruttoerwerbseinkommen monatlich 1100 € beträgt, bleiben 21,82 Prozent Ihres bereinigten Nettoeinkommens anrechnungsfrei.
Falls Ihr Bruttoerwerbseinkommen zwischen zwei Tabellenwerten im »Freibetragsrechner« liegt, können Sie – um annähernd richtige Prozentsätze zu erhalten – Mittelwerte bilden. *Beispiel:* Ihr Bruttoverdienst beträgt 1125 €. In der Übersicht finden Sie den Prozentsatz, der für Bruttoeinkommen von 1150 bzw. 1100 € gilt. Bei einem Brut-

to von 1150 € sind 21,52 Prozent Ihres bereinigten Nettoeinkommens anrechnungsfrei, bei 1100 € sind es 21,82 Prozent. Der Wert für 1125 € liegt in etwa in der Mitte, also etwa bei 21,67 Prozent.

Wie die Prozentsätze exakt errechnet werden

Wer die exakte Höhe seines Freibetrags selbst errechnen möchte, kann wie folgt vorgehen: Ermittelt werden muss, welcher Freibetragssatz im Schnitt gilt. Das geht nach folgender Rechnung: Das Einkommen wird auf die verschiedenen »Freibetragszonen« (siehe Tipp 83) aufgeteilt und jeweils für jede einzelne Zone mit dem zugehörigen Freibetragssatz gewichtet. So ergeben sich für ein Einkommen von 1125 €:

87

•	400 mal 15 Prozent	=	6 000
•	500 mal 30 Prozent	=	15 000
•	225 mal 15 Prozent	=	3 375
Summen	1125		24 375

Dividiert man die Summen (24.375 / 1.125 = 21,67), so ergibt sich der exakte durchschnittliche Freibetragssatz. Hier liegt er bei 21,67 Prozent.

Freibetragsrechner für Erwerbseinkommen

Monatliches Bruttoeinkommen (€)	Vom bereinigten Nettoeinkommen sind anrechnungsfrei (Prozent)
100	15,00
200	15,00
300	15,00
400	15,00
450	16,67
500	18,00
550	19,09
600	20,00
650	20,77
700	21,43
750	22,00
800	22,50
850	22,94
900	23,33
950	22,89
1000	22,50
1050	22,14
1100	21,82
1150	21,52
1200	21,25
1250	21,00
1300	20,77
1350	20,56
1400	20,36
1450	20,17
1500	20,00

89

Tipp 88

Sonderregelung für Selbstständige:

30 Prozent der Betriebseinnahmen sind absetzbar

Falls Sie eine selbstständige Beschäftigung ausüben, können auch Sie von Ihren Betriebseinnahmen die in Tipp 80 genannten Posten 1 bis 4 absetzen. Für Werbungs- und Fahrtkosten gilt für Sie jedoch eine besondere Regelung.
Bei Selbstständigen werden pauschal 30 Prozent der Betriebs**einnahmen** als Betriebs**ausgaben** anerkannt. Dazu ein *Beispiel:* Eine Änderungsschneiderin hat monatliche Einnahmen in Höhe von 1500 €. Davon kann Sie pauschal 30 Prozent – das sind in ihrem Fall 450 € – absetzen. Unter Umständen fallen für sie aber weit höhere Betriebsausgaben an. Dies gilt beispielsweise dann, wenn die Schneiderin eine hohe Miete für ihr Ladenlokal entrichten muss. In diesem Fall müssen die tatsächlichen Kosten anerkannt werden. Wenn die Schneiderin also monatlich 600 € Betriebskosten nachweist, wird dieser Betrag anerkannt.
Für Selbstständige lohnt es sich in jedem Fall, eine genaue Auflistung der tatsächlichen Betriebsausgaben zu machen. Auf dieser Grundlage können die Betroffenen sich dann entscheiden, wie sie besser fahren: Mit der pauschalen 30-Prozent-Regel oder mit einem Einzelnachweis.

Tipp 89

Wer mit dem Auto zur Arbeit fährt:

Niedrige Kilometerpauschale nicht akzeptieren

Beziehen Sie zusätzlich zu einem Erwerbseinkommen Arbeitslosengeld II? Und sind Sie – etwa weil die Verkehrsverbindung zu Ihrer Arbeit schlecht ist – auf die Benutzung eines Autos angewiesen? Dann ist der folgende Tipp für Sie wichtig.
Bezieher von ALG II, die erwerbstätig sind, haben an jedem Arbeitstag nur Anspruch auf eine Entfernungspauschale von 0,06 € pro Kilometer, den ihre Arbeitsstelle von ihrer Wohnung entfernt ist (siehe Tipp 83). Mit diesem Betrag sind für Autofahrer jedoch noch nicht einmal die Benzinkosten abgedeckt. Selbst wenn Sie einen verbrauchsgünstigen PKW besitzen, der pro 100 Kilometer lediglich sieben Liter Superbenzin »frisst«, kommen Sie bei 20 Kilometern zur Arbeit (einfache Entfernung) an 20 Arbeitstagen im Monat schon auf einen Benzinverbrauch von monatlich 56 Litern (800 km x 7 l / 100 km) für Fahrten zur Arbeit. Bei einem Literpreis von 1,10 € müssen Sie – arbeitsbedingt – pro Monat allein 61,60 € für Benzin ausgeben. Die Pauschale, die der Gesetzgeber Ihnen zugesteht, beträgt aber nur (0,06 x 20 x 20=) 24 € im Monat und reicht damit noch nicht einmal für 40 Prozent Ihrer Benzinkosten (von Reparaturaufwendungen und anderen Kfz-Kosten ganz zu schweigen).

Absetzung der tatsächlichen Kosten beantragen

Sie sollten daher die Übernahme der tatsächlichen Kosten verlangen. Das ist nach der Arbeitslosengeld-II-Verordnung vom 29. September 2004 möglich. Danach sollen (nach § 3 Nr. 3) nur dann Pauschbeträge angesetzt werden, »soweit der erwerbsfähige Hilfebedürftige nicht höhere notwendige Ausgaben nachweist«. Am besten sammeln Sie künftig alle Belege für Reparaturen und Benzin. Zudem sollten Sie in jedem Fall auflisten, wie viele Kilometer Sie im Monat insgesamt fahren und welcher Anteil davon auf Fahrten zur Arbeit entfällt. Der Anteil der arbeitsbedingten Fahrten an den Gesamtkosten sollte vom Amt als Absetzungsbetrag anerkannt werden. Ein *Beispiel:* Insgesamt geben Sie für Betrieb und Erhaltung Ihres PKW monatlich 130 € aus – ohne Kfz-Versicherung (siehe dazu Tipps 80 und 82). 90 Prozent Ihrer Fahrten sind beruflich bedingt. In diesem Fall sollten Sie beantragen, dass Ihnen monatlich 117 € (90 Prozent von 130 €) als Absetzungsbetrag für Fahrten zur Arbeit anerkannt werden.

Bei Ablehnung: Widerspruch

Sollte das Amt sich weigern, Ihre tatsächlichen Kosten anzuerkennen, haben Sie gute Chancen, wenn Sie gegen diese Entscheidung mit Widerspruch und Klage vorgehen. Sie sollten sich allerdings in jedem Fall bei einem Wohlfahrtsverband oder einer Arbeitsloseninitiative beraten lassen oder sich – als Gewerkschaftsmitglied – an den gewerkschaftlichen Rechtsschutz wenden.

Verweisen Sie auf »alte« Sozialhilfe-Regelungen

Sozialhilfeempfänger, die auf ein Auto angewiesen waren, durften bereits nach den »alten« (bis Ende 2004 geltenden) Sozialhilfe-Regeln einen PKW besitzen. Zudem konnten sie bislang bereits für Fahrten zur Arbeit einen Pauschbetrag absetzen. Dieser betrug 5,20 € für jeden Kilometer, den die Arbeitsstelle von der Wohnung entfernt war (bei fünf Arbeitstagen in der Woche). Bei einer 20 Kilometer von der Wohnung entfernten Arbeitsstelle wurde einem erwerbstätigen Sozialhilfebezieher damit ein zusätzlicher Freibetrag bzw. Absetzbetrag von 104 € im Monat eingeräumt. Dieser Freibetrag war damit mehr als vier Mal so hoch wie der Absetzbetrag, der nun beim ALG II vorgesehen ist. Wichtig ist noch: Auch dieser Freibetrag wurde von Fachleuten und Juristen als weit zu niedrig angesehen. Er wurde seit 1976 nicht mehr angepasst. Bei der Einführung des Euro erfolgte lediglich eine Umrechnung – der Betrag wurde also nicht erhöht: Aus dem Pauschbetrag von zehn DM wurden 5,20 €. Das Oberlandesgericht Frankfurt sah den 10-DM-Pauschbetrag bereits 1990 als viel zu niedrig an und empfahl eine Erhöhung auf mindestens 15 DM (OLG Frankfurt FamRZ 1990, 1011).

!

Tipp 90

Bei Unterhalt für Ex-Gatten oder Kinder:

Zahlungen sind vom Einkommen absetzbar

Wer wenig verdient oder länger arbeitslos ist, hat häufig Schwierigkeiten, seinen Unterhaltsverpflichtungen – etwa für Kinder aus der ersten Ehe – nachzukommen. Für diejenigen, die das neue ALG II bekommen, gibt es allerdings einen Hoffnungsschimmer. Denn die Durchführungshinweise der Bundesagentur für Arbeit (BA) machen es den Unterhaltspflichtigen nun grundsätzlich möglich, ihren Verpflichtungen nachzukommen. Dies gilt allerdings nur, wenn die ALG-II-Bezieher eigenes Einkommen haben.

Dazu ein *Beispiel:* Ein zum zweiten Mal verheirateter Mann lebt mit seiner neuen Frau, die nicht erwerbstätig ist, und zwei Kindern (8 und 10 Jahre) aus dieser Ehe zusammen. Aus seiner ersten Ehe hat er ein Kind, für das er jeden Monat 200 € Unterhalt zahlen muss. Da der Vater nur ein monatliches Nettoerwerbseinkommen von 1268 € hat, fällt ihm das äußerst schwer. Doch ab 2005 kann seine Familie – zusätzlich zu seinem Einkommen – ALG II erhalten. Dafür gilt: Nach Abzug aller absetzbaren Beträge (siehe Tipp 80) und des Freibetrags bei Erwerbstätigkeit (siehe Tipp 83) bleiben von seinem Nettoverdienst 908,39 € übrig, die beim ALG II angerechnet werden. Wie dabei gerechnet wird, können Sie in Tipp 86 nachlesen.

90

Von diesem Betrag wird nun auch noch die monatliche Unterhaltszahlung von 200 € abgezogen, die der Vater für sein Kind aus erster Ehe leisten muss. Statt 908,39 werden so nur 708,39 € auf das ALG II angerechnet. Den Rest darf die vierköpfige Bedarfsgemeinschaft behalten. Insgesamt steht ihr – zusammen mit den 570 € für ihre Wohnung und Heizung – ein ALG-II-Bedarf in Höhe von 1606 € zu. Davon werden dann die verbleibenden 708,39 € für das Einkommen und 308 € Kindergeld, die die Familie erhält, abgezogen – zusammen also 1016,39 €. Zieht man diesen Betrag von 1606 € ab, so bleiben unter dem Strich noch 589,61 € übrig, die das Amt monatlich überweisen muss. Das bedeutet: Der Vater kann seine Unterhaltsverpflichtung für sein Kind aus erster Ehe erfüllen.

Es muss ein »Titel« für den Unterhalt bestehen

Nach den »Hinweisen« der BA zum SGB II gilt: Wenn Unterhaltspflichtige Einkünfte haben, aus denen sie ihre Zahlungsverpflichtungen bedienen können, werden die Teile des Einkommens beim ALG II nicht berücksichtigt, die aufgrund eines titulierten Unterhaltsanspruchs nicht als »einsatzfähiges Einkommen zur Verfügung« stehen. Mit dieser Regelung soll vermieden werden, dass Kinder nach der Trennung bzw. Scheidung ihrer Eltern auf ALG-II-Leistungen angewiesen sind, weil das Einkommen eines unterhaltspflichtigen Elternteils von der zuständigen Behörde angerechnet – und damit letztlich einbehalten – wird.

Voraussetzung für eine solche Verfahrensweise ist aber, dass ein »titulierter Anspruch« besteht, also ein Gericht oder Amt einen Unterhaltsanspruch vergeben hat. Die Arbeitsagenturen akzeptieren dabei auch die Beurkundung der Unterhaltsverpflichtung durch das Jugendamt nach § 59 des achten Sozialgesetzbuchs (SGB VIII).

Während bisher etliche Sozialämter fällige Unterhaltszahlungen nur dann zugunsten der Hilfebedürftigen berücksichtigten, wenn die Unterhaltstitel bereits gepfändet waren, spielt dies beim ALG II keine Rolle. Entscheidend ist lediglich, dass der Titel »pfändbar« ist.

Die beschriebenen Regelungen sind allerdings weder gesetzlich noch in Rechtsverordnungen festgeschrieben, sondern nur in den »Hinweisen« der BA. Diese binden jedoch keinesfalls die 69 »Options-Kommunen«, die die ALG-II-Regelungen in alleiniger Zuständigkeit – ohne die Arbeitsagenturen – durchführen (siehe Tipp 8).

Tipp 91
(Neben-)Einkommen muss angemeldet werden

Auch Mini-Einkünfte sind meldepflichtig

Vielleicht stellen Sie nach der Lektüre dieser Tipps ernüchtert fest, dass Sie von Ihrem Arbeitseinkommen kaum etwas behalten dürfen. Dennoch sollten Sie Ihre Einkünfte in jedem Fall angeben – andernfalls droht Ihnen gegebenenfalls sogar eine Strafanzeige.

Bezieher von ALG II müssen grundsätzlich **jede** Änderung ihrer Einkünfte dem zuständigen Träger melden. Auch für Arbeitnehmer abgabefreie 400-Euro-Jobs müssen mitgeteilt werden. Wenn Sie auf eine Anmeldung von Arbeitseinkommen verzichten, verstoßen Sie gegen gesetzliche Mitwirkungsverpflichtungen. Im Extremfall wird dies sogar als Betrug gewertet.

Sie sollten sich auch nicht darauf verlassen, dass »ohnehin nichts herauskommt«. Die Ämter pflegen nicht nur einen intensiven Datenabgleich mit vielen Behörden und Institutionen (siehe Tipp 12). Darüber hinaus gibt es auch immer wieder »freundliche« Nachbarn und Bekannte, die die Ämter informieren ...

Tipp 92
Sie können Ihre Arbeitszeit beliebig ausdehnen:
15-Stunden-Grenze gilt beim ALG II nicht

Wer zuvor als Bezieher von Arbeitslosen- oder Sozialhilfe einen 400-Euro-Job oder einen für Arbeitslosenhilfe-Empfänger anrechnungsfreien 165-Euro-Job ausgeübt hat, wird über die neuen Anrechnungsregelungen, die beim ALG II gelten, oft empört sein. Denn jetzt bleibt ihm beim gleichen Arbeitsverdienst viel weniger übrig. »Ein niedrig bezahlter Nebenjob lohnt sich nicht«, werden viele denken – und diesen schmeißen.

Es gibt aber manchmal auch eine andere Alternative: Sie können bei Ihrem Arbeitgeber (oder bei einer anderen Firma) nachfragen, ob für Sie vielleicht ein Job mit längerer Arbeitszeit und damit höherem Verdienst in Frage kommt.

Dabei brauchen Sie – anders als Bezieher von Arbeitslosenhilfe oder Arbeitslosengeld (I), die nicht mehr als 14,9 Stunden pro Woche erwerbstätig sein dürfen – nicht zu befürchten, dass Sie wegen einer zu hohen Wochenarbeitszeit aus dem Bezug von ALG II ausgesteuert werden. Eine Obergrenze der erlaubten Arbeitszeit gibt es nämlich beim ALG II nicht. Sie können sogar Vollzeit erwerbstätig sein. Es kommt nur darauf an, ob Ihr Einkommen Ihren Bedarf nach dem SGB II erreicht.

93

Tipp 93

Nicht nur wegen des Geldes:

Eine Arbeitsaufnahme lohnt sich

Die Regelungen zur Anrechnung von Arbeitseinkommen beim ALG II sind unakzeptabel. Allein aus finanziellen Gründen lohnt sich die Aufnahme gerade niedrig bezahlter Jobs kaum. Doch die Arbeitsaufnahme zahlt sich für Bezieher von ALG II nicht nur wegen des Geldes aus. Für die meisten Menschen ist – ganz abgesehen vom Geld – ein Leben ohne Arbeit nicht besonders erstrebenswert. Kaum jemand wird glücklich dabei, wenn er auf Dauer von Ämtern abhängig ist.

Sie tun sich deshalb wahrscheinlich selbst keinen Gefallen, wenn Sie die Frage: »Lohnt sich die Aufnahme einer Arbeit?« alleine auf Ihre Geldbörse beziehen. Erwerbsarbeit bedeutet eben mehr als Geld zu verdienen. Sie bringt Kontakte, gibt dem Alltag eine Struktur, erhöht den Selbstwert und macht gelegentlich auch Spaß. Dazu können selbst Mini-Jobs manchmal trotz der unakzeptablen Anrechnungsregelungen interessant und hilfreich sein: Als Sprungbrett in eine »richtige« Beschäftigung.

Kapitel H
Wie die Ämter mit Unterhaltsansprüchen umgehen

94

Tipp 94
Günstigere Unterhalts-Regeln als bei der Sozialhilfe

Nur Eltern von unter 25-Jährigen müssen manchmal zahlen

Wer bis Ende 2004 Sozialhilfe bezog, musste damit rechnen, dass die Ämter versuchten, sich die von ihnen gezahlten Hilfen von Angehörigen zurückzuholen. In vielen Fällen bekamen dann die Eltern oder erwachsenen Kinder von Sozialhilfe-Beziehern Post vom Sozialamt. Darin verlangten die Sozialbehörden oft recht frech, dass die Verwandten die komplette Sozialhilfe, die an ihre Angehörigen gezahlt wurde, erstatten sollten. In den meisten Fällen war diese Praxis schon bei der Sozialhilfe nicht rechtens. Seit Anfang 2005 – beim Arbeitslosengeld II und Sozialgeld – macht das zweite Sozialgesetzbuch (SGB II) damit Schluss. Ausnahmen gibt es nur, wenn es um den Unterhalt von Kindern unter 25 Jahren geht.

Kinder müssen für hilfebedürftige Eltern nie zahlen

Eltern, die ALG II beantragen, müssen nicht mehr befürchten, dass ihre erwachsenen Kinder einen harschen Brief vom Amt bekommen. Der 55-jährige Vater, der schon länger arbeitslos ist, kann beispielsweise unbesorgt ALG II beantragen: Seine Kinder können vom Amt nicht für ihn zur Kasse gebeten werden. Das gilt auch dann, wenn er ausnahmsweise nach dem Bürgerlichen Gesetzbuch gegenüber seinen Kindern einen Unterhaltsanspruch haben sollte. Das darf die Ämter nämlich nicht interessieren. Denn das Gesetz regelt ausdrücklich, dass die Behörden sich in solchen Fällen nicht an die Verwandten der Betroffenen halten dürfen – es sei denn, die Verwandten zahlen freiwillig oder der Vater selbst macht von sich aus einen bestehenden Unterhaltsanspruch gegenüber seinen Kindern geltend (was nach der herrschenden Rechtsprechung in der Regel ohnehin chancenlos wäre).

Eltern müssen für hilfebedürftige Kinder manchmal zahlen

Ob Eltern von den Ämtern für Kinder, die ALG II oder Sozialgeld beziehen, zur Kasse gebeten werden können, hängt vom Alter ihrer Söhne und Töchter ab. Sind diese bereits mindestens 25 Jahre alt, so gilt: Die Mütter und Väter der Hilfebedürftigen haben nichts zu befürchten. Sie dürfen von den Ämtern auch nicht angeschrieben werden.

Sind die Kinder unter 25, so gilt: Solange die Kinder »ihre Erstausbildung noch nicht abgeschlossen haben«, können sich die Ämter an deren Eltern halten. Dann wird also geprüft, ob die Eltern nach den Maßstäben, die das Bürgerliche Gesetzbuch setzt, unterhaltspflichtig sind. Sofern dies zutrifft, werden sich die Ämter die ALG-II-Leistungen, die sie an die hilfebedürftigen Kinder gezahlt haben, von den Eltern ganz oder teilweise zurückholen.

Für Schwangere müssen die Ämter aufkommen

95

Aber auch von der 25-Jahre-Regel gibt es wiederum eine Ausnahme – und zwar dann, wenn ein Kind schwanger ist oder bereits selbst ein Kind hat, das jünger als sechs Jahre ist. In diesen Fällen darf der »Übergang eines Unterhaltsanspruchs nach bürgerlichem Recht nicht bewirkt werden«, bestimmt das SGB II. Das bedeutet: Die Eltern der Betroffenen dürfen von den auszahlenden Ämtern nicht zur Kasse gebeten werden. Diese Regelung gilt nicht nur für hilfebedürftige Mütter, sondern auch für Väter, die ihr Kind betreuen – solange dieses noch nicht sechs Jahre alt ist.

Freiwillig gezahlter Unterhalt wird angerechnet

Ganz anders sieht die Sache allerdings aus, wenn Verwandte – ohne Aufforderung des Amtes – freiwillig Unterhalt für ihre Angehörigen zahlen. Solche freiwilligen Leistungen gelten in jedem Fall als anrechenbares Einkommen der Unterhaltsbezieher – und mindern damit deren ALG-II-Ansprüche (siehe Tipp 96).
Wer ALG II und anderes Einkommen bezieht und selbst Unterhalt – zum Beispiel an seinen Ex-Ehepartner – zahlen muss, sollte Tipp 90 lesen. Den Unterhalt kann er von seinem Einkommen absetzen.

! Tipp 95

Bei Unterhaltsansprüchen gegen Eltern oder Ex-Gatten:

Ämter leisten vor und holen sich das Geld zurück

Auf Seite 5 des Antrags auf Arbeitslosengeld II wird nach unterhaltspflichtigen Angehörigen »außerhalb der Bedarfsgemeinschaft« gefragt. Der Grund dafür liegt auf der Hand: Die Ämter prüfen, ob nicht jemand anderes an ihrer Stelle für den Bedarf der Antragsteller aufkommen kann.
Die Ämter interessieren sich hier für Ansprüche gegenüber Ex-Ehegatten und gegenüber den Eltern von minderjährigen Kindern – falls das Kind nur noch bei einem Elternteil lebt. Klar ist dabei in jedem Fall: Selbst wenn ein von einem Gericht festgestellter Unterhaltsanspruch besteht, dürfen die Ämter die Betroffenen nicht wegschicken – etwa mit dem Argument: »Holen Sie sich das Geld bei Ihrem Ex-Mann.« Die Ämter müssen in jedem Fall – soweit die Betroffenen hilfebedürftig sind – in Vorleistung treten und deren Bedarf decken.
Sie können sich das Geld aber unter Umständen von einem säumigen Unterhaltspflichtigen zurückholen. Sie leiten dann – wie es im Gesetz heißt – den Unterhaltsanspruch auf sich über. Das werden sie auch tun, wenn ALG-II-Antragsteller angeben, dass ein »Unterhaltstitel, schriftliche Vereinbarung, Urkunde über die Höhe des

Unterhalts« (so heißt es im Antragsformular) besteht, aber Unterhaltsleistungen nicht erbracht werden.

!

Tipp 96

Wenn die Oma regelmäßig Geld überweist:

Freiwillige Unterhaltszahlungen mindern das ALG II

Zwar muss niemand befürchten, dass die Ämter sich das an die Antragsteller gezahlte ALG II oder Sozialgeld bei deren Eltern, Großeltern, erwachsenen Kindern oder Enkeln zurückholen (siehe Tipp 94). Allerdings: Freiwillig und regelmäßig geleistete Zahlungen von Verwandten an Mitglieder einer Bedarfsgemeinschaft, die ALG II bezieht, gelten als anrechenbares Einkommen und mindern so die Leistungsansprüche. Wenn eine Großmutter beispielsweise regelmäßig 50 € auf das Konto ihres Enkels überweist, dann hat das böse Folgen für dessen Anspruch auf Unterstützung. Das Amt wird dem Enkel dann nämlich in aller Regel 50 € weniger pro Monat zahlen, weil es davon ausgeht, dass die Großmutter regelmäßig diese Summe zu seinem Lebensunterhalt beisteuert.

Tipp: Wer Verwandte unterstützen möchte, die ALG II oder Sozialgeld beziehen, fährt besser, wenn er diesen kein Geld überweist. Wer aber beispielsweise dem Enkel einen Sprachurlaub finanziert, diesen mit neuer Winterkleidung eindeckt oder ihm einen PC kauft, braucht nicht zu befürchten, dass die Ämter die Unterstützung zurückfahren.

Die hier geschilderten Probleme stellen sich übrigens auch nicht, wenn das Sparbuch sich im Besitz der Großmutter (und nicht des Kindes) befindet. In diesem Fall würden – rechtlich gesehen – das Sparbuch nicht als Vermögen und die monatlichen Überweisungen nicht als Einkommen des Kindes zählen.

Kapitel I
Was Ältere wissen sollten

97

Tipp 97

Für Jahrgänge ab 1948:

Bei Rentenanspruch muss Rente beantragt werden

Ältere ALG-II-Bezieher haben grundsätzlich die gleichen Rechte und Pflichten wie jüngere. Ausnahmeregelungen gibt es nur für diejenigen, die vor 1948 geboren wurden. Diese finden Sie in Tipp 98. Die Regeln für die» Jüngeren unter den Älteren« finden Sie in diesem Tipp.
Wer ALG II bezieht, muss in aller Regel bereit sein, »alle Möglichkeiten zur Beendigung« seiner Hilfebedürftigkeit auszuschöpfen und »aktiv an allen Maßnahmen zu seiner Eingliederung in Arbeit mitwirken«. So heißt es in §2 des SGB II, der den »Grundsatz des Forderns« skizziert.

Pflicht zur Arbeitsaufnahme bis zum Rentenantrag

Diese Regelungen des »Forderns« gelten auch für Ältere, die 1948 oder später geboren wurden. Wer erwerbsfähig ist, muss sich im Rahmen seiner Erwerbsfähigkeit der Arbeitsvermittlung zur Verfügung stellen. Die alte 58er-Regelung, nach der sich ältere Arbeitslose aus der Arbeitsvermittlung ausklinken konnten, läuft aus und gilt nur noch bis Ende 2005 (siehe Tipp 98).

Früher Rentenantrag

Sobald die Betroffenen Anspruch auf ein vorgezogenes Altersruhegeld haben, können die Ämter sie aus dem Bezug von ALG II aussteuern. Dies gilt auch für diejenigen, die bei einem Rentenantrag mit erheblichen Abschlägen bei der Altersrente rechnen müssen. Die Möglichkeit, vorzeitig in Rente zu gehen, wird allerdings ohnehin nach und nach abgeschafft. Wer beispielsweise im Januar 1948 geboren wurde, kann erst im Alter von 62 Jahren (und nicht mehr wie früher mit 60) das vorgezogene Altersruhegeld bei Arbeitslosigkeit in Anspruch nehmen.
Tipp: Wer ALG II bezieht, sollte sich bei seinem Rentenversicherungsträger informieren, wann er frühestens in Rente gehen kann und mit welchen Abschlägen er dann rechnen muss. Wer erst später in Rente gehen kann, sollte sich dies von der Rentenversicherung bestätigen lassen. ALG II muss dann so lange gezahlt werden, bis ein Rentenanspruch besteht.

!

Tipp 98

Für Jahrgänge vor 1948:

»Erleichterte Bedingungen« des Leistungsbezugs möglich

Ausnahmen von der Arbeitspflicht und vom Zwang, auch eine Rente mit Abschlägen in Kauf zu nehmen, gibt es für ALG-II-Bezieher, die 1947 oder früher geboren wurden.
Diejenigen, die vor dem 31. Dezember 2005 das Alter von 58 Jahren erreichen oder älter sind, können erklären, dass sie gar nicht mehr arbeiten wollen – und erhalten dennoch ALG II. Dies regelt § 65 Abs. 4 SGB II. Danach haben 58-Jährige und Ältere auch dann Anspruch auf Leistungen nach dem zweiten Sozialgesetzbuch, wenn sie »nicht arbeitsbereit sind und nicht alle Möglichkeiten nutzen und nutzen wollen, ihre Hilfebedürftigkeit durch Aufnahme einer Arbeit zu beenden«.
Dieser so genannte »erleichterte Leistungsbezug« ist grundsätzlich in § 428 des dritten Sozialgesetzbuchs geregelt. Die Arbeitsagenturen haben in der Vergangenheit viel Wert darauf gelegt, dass ältere Arbeitslose eine entsprechende Erklärung zu § 428 unterzeichneten, weil diese nach ihrer Unterschrift nicht mehr als arbeitslos galten.
Wenn Ihnen von dem für Sie zuständigen Amt ein Formular nach § 65 Abs. 4 SGB II vorgelegt wird, können Sie dieses zumeist unbesorgt unterschreiben. Mit Nachteilen ist nach der Unterschrift unter diese Erklärung kaum zu rechnen. Wenn Sie kein Formular erhalten, können Sie selbst eine entsprechende Erklärung aufsetzen.
Falls Sie persönlich sich bereits mehr oder weniger vom Arbeitsmarkt verabschiedet haben und keinen Wert auf Anstrengungen der Ämter zur (Wieder-)Eingliederung legen, können Sie in einem persönlichen Schreiben einfach erklären: »Hiermit mache ich von der Möglichkeit des § 65 Absatz 4 des zweiten Sozialgesetzbuchs Gebrauch und erkläre, dass ich nicht mehr arbeitsbereit bin«.

Mehr Freiraum möglich

Welche Folgen hat eine Unterschrift unter eine solche Erklärung für Sie? Mit Arbeitsangeboten brauchen Sie nach Ihrer Unterschrift nicht mehr zu rechnen. Darüber hinaus gewinnen Sie unter Umständen mehr persönlichen Freiraum. Möglicherweise brauchen Sie sich seltener beim Amt zu melden und vielleicht wird Ihnen eine längere Ortsabwesenheit gestattet. Eindeutige Urlaubsregelungen gibt es für ALG-II-Bezieher zwar generell nicht, Sie können aber mit dem für Sie zuständigen Sachbearbeiter aushandeln, wie lange Sie abwesend sein können. Immerhin gibt es für Sie nach der Unterschrift unter eine entsprechende Erklärung kaum einen Grund mehr, durchgängig vor Ort zur Verfügung zu stehen. Sie dürfen allerdings Ihren »gewöhnlichen Aufenthalt« nicht ins Ausland verlegen. Eine Vereinbarung über die Dauer Ihrer erlaubten Ortsabwesenheit kann in die Eingliederungsvereinbarung (siehe Tipp 18) aufgenommen werden.

Vorteile bei der Rente

Bei der Rente brauchen Sie durch eine Unterschrift unter die Erklärung keine Nachteile zu befürchten. Im Gegenteil: Für Sie gelten vorteilhafte Ausnahmeregelungen. Normalerweise gilt für ALG-II-Bezieher: Sie müssen ein vorzeitiges Altersruhegeld beantragen, selbst dann wenn ihnen erhebliche Rentenabschläge drohen (siehe Tipp 97). Von dieser Regel gibt es eine Ausnahme: Wer 58 Jahre alt ist und bis Ende 2005 eine Erklärung nach § 65 Abs. 4 SGB II abgibt, muss erst dann Rente beantragen, wenn er Anspruch auf ein abschlagsfreies Altersruhegeld hat. Denn hier gelten die entsprechenden Regelungen von § 428 des dritten Sozialgesetzbuchs. Danach dürfen die Arbeitsagenturen Leistungsbezieher dann nicht aus dem Arbeitslosengeld (I) in die Rente aussteuern, wenn die Rente »vor dem für den Versicherten maßgebenden Rentenalter in Anspruch genommen werden« kann. Das maßgebliche Rentenalter ist dabei das Alter, in dem Antragsteller eine Altersrente ohne Abschläge erhalten können.
Ein *Tipp* für alle, die vor 1948 geboren sind: Spätestens dann, wenn Job-Center, Arbeitsagenturen oder Kommunen Sie zur Stellung eines Antrags auf eine um Abschläge gekürzte Rente auffordern, sollten Sie nach § 65 Abs. 4 des SGB II erklären, dass Sie nicht mehr arbeitsbereit sind. Die Ämter dürfen Ihnen dann nicht mehr zumuten, einen Antrag auf eine Rente mit Abschlag zu stellen. Die Bundesagentur für Arbeit hat in ihren »Hinweisen« zur Durchführung des SGB II die örtlichen Arbeitsagenturen allerdings angewiesen, Arbeitslose, die vor 1948 geboren wurden, generell nicht in eine gekürzte Altersrente auszusteuern – auch ohne, dass diese eine entsprechende Erklärung abgegeben haben. Diese Hinweise binden jedoch nicht die 69 Kommunen, die die so genannte Option wahrgenommen haben und allein für die Durchführung des Gesetzes zuständig sind (siehe Tipp 8).

Wer kann sich noch auf die Regelungen des »erleichterten Bezugs« berufen?

Ihre fehlende Arbeitsbereitschaft können alle Älteren erklären,
- die bis Ende 2005 ALG II beantragen und
- Ende 2005 mindestens 58 Jahre alt sind.

Beide Bedingungen müssen gleichzeitig erfüllt sein. Zudem müssten nach der Logik des Gesetzes die Regelungen auch für diejenigen gelten, die vor Ende 2005 eine Erklärung über den erleichterten Bezug von Arbeitslosengeld (I) nach § 428 SGB III unterschrieben haben und später ALG II beziehen.

! Tipp 99
Viele können mit 60 vorzeitig in Rente gehen

Bezieher von ALG II, die eine Erklärung nach § 65 Abs. 4 des zweiten Sozialgesetzbuchs abgegeben haben (siehe Tipp 98), haben mit 60 meist die freie Wahl: Sie können entweder weiter ALG II beziehen oder ein vorgezogenes Altersruhegeld.
In diesem Tipp erhalten Sie einen Überblick über die verschiedenen Rentenarten, die für Sie in Frage kommen. Die Übersicht auf der übernächsten Seite gibt hierüber ei-

nen Überblick. Für ältere ALG-II-Bezieher sind zwei Rentenarten besonders wichtig: die Rente wegen Arbeitslosigkeit und die Altersrente für Frauen.
Frauen können vielfach mit Vollendung des 60. Lebensjahrs von einem Tag auf den anderen die vorgezogene Altersrente in Anspruch nehmen. Dafür müssen sie allerdings insgesamt 15 Jahre an Versicherungszeit vorweisen und zusätzlich seit ihrem 40. Lebensjahr überwiegend – also mindestens zehn Jahre und einen Monat lang – Pflichtbeiträge an die (BRD-)Renten- beziehungsweise (DDR-)Sozialversicherung abgeführt haben.

Nach längerer Erwerbslosigkeit: Renten wegen Arbeitslosigkeit

Arbeitslose Männer und Frauen, die längere Zeit ohne Arbeit sind, können ebenfalls meist schon mit 60 in Rente gehen. Denn sie können dann die Altersrente wegen Arbeitslosigkeit erhalten. Wer diese Rente beantragen möchte, muss zum Zeitpunkt des Rentenbeginns allerdings bereits mindestens ein Jahr lang (genau: ein Jahr ab dem Alter von 58 1/2 Jahren) arbeitslos gemeldet sein. Wer erst einige Monate nach seinem 60. Geburtstag ein Jahr ohne Arbeitsplatz ist, kann entsprechend auch erst einige Monate später diese Rente beantragen.
Mit dem so genannten Nachhaltigkeitsgesetz wurde im Frühjahr 2004 allerdings beschlossen, die Altersgrenze für diese Rentenart ab dem 1. Januar 2006 schrittweise auf 63 Jahre zu erhöhen. Ab Januar 2009 kann die Rente wegen Arbeitslosigkeit (oder nach Altersteilzeit) im Regelfall erst im Alter von 63 bezogen werden. Ausnahmen gibt es jedoch für Versicherte, die vor 1952 geboren wurden und am 1. Januar 2004 schon arbeitslos waren oder mit ihrem Arbeitgeber bis zum 31. Dezember 2003 bereits einen Vertrag über den Übergang in Altersteilzeit abgeschlossen hatten.

Rentenantrag immer freiwillig

Sie müssen sich mit 60 nicht endgültig für oder gegen einen vorzeitigen Einstieg in die Rente entscheiden. Wenn Sie die Anspruchsvoraussetzungen für eine der vorzeitigen Altersrenten erfüllen, können Sie jederzeit, also auch erst mit 61 oder 64 Jahren, zu jedem gewünschten Termin in Rente gehen. Zuvor sollten Sie sich aber gründlich über die Vor- und Nachteile informieren. Möglicherweise ist nämlich das ALG II, das man bei einem Verzicht auf den Rentenantrag häufig weiterbeziehen könnte, sogar höher als die zu erwartende Rente. Mehr zum Vergleich von Rente und ALG II erfahren Sie im folgenden Tipp 100. In jedem Fall sollten Sie vor dem Antrag auf eine vorgezogene Altersrente eine verbindliche schriftliche Rentenauskunft beim gesetzlichen Rentenversicherungsträger über Ihre zu erwartende Rentenhöhe einholen.

Mit 60 haben Sie drei Monate »Bedenkzeit«

Wenn Sie den Übergang in die Rente zunächst um einige Monate oder Jahre verschieben, erhalten Sie später ab dem Kalendermonat, in dem Sie Rente beantragen, Rentenzahlungen. Wenn Sie innerhalb von drei Kalendermonaten nach der Erfüllung der Anspruchsvoraussetzungen den Rentenantrag stellen, erhalten Sie für diese drei Monate auch rückwirkend noch Geld aus der Rentenkasse. Mit 60 bleibt Ihnen damit in jedem Fall eine dreimonatige »Bedenkzeit«, um sich zwischen ALG II und Altersrente zu entscheiden.

Die vorzeitigen Altersruhegelder

	Alter	Mindestversicherungs-zeit	Besondere Voraussetzungen
Altersrente wegen Arbeitslosigkeit oder nach Altersteilzeit	ab 60	15 Jahre Beitrags- und Ersatzzeiten[1]	1. ein Jahr Arbeitslosigkeit ab dem Alter von 58 1/2 Jahren bzw. 24 Kalendermonate Altersteilzeit 2. acht Jahre Pflichtbeitragszeiten in den letzten zehn Jahren
Altersrente für Frauen	ab 60	15 Jahre Beitrags- und Ersatzzeiten[1]	121 Pflichtbeitragsmonate ab dem 40. Lebensjahr
Altersrente für schwerbehinderte Menschen	ab 60	35 Versicherungsjahre[2]	Anerkannte Schwerbehinderung[3]
Altersrente für langjährig Versicherte	ab 63	35 Versicherungsjahre[2]	

1 Ersatzzeiten müssen vor dem 1. Januar 1992 liegen. Es sind Zeiten, in denen Versicherte infolge des Krieges an der Entrichtung ihrer Beiträge gehindert waren, sowie Haftzeiten als Verfolgte des NS-Regimes oder als politische Gefangene in der DDR.

2 Zu den Versicherungsjahren gehören neben Beitrags- und Ersatzzeiten (siehe Anmerkung 1) auch Ausbildungs-, Schwangerschafts-, Arbeitslosigkeits- und Krankheitszeiten sowie Zeiten der Kindererziehung bis zum zehnten Lebensjahr des Kindes.

3 Versicherte, die 1950 oder früher geboren wurden, haben auch dann Anspruch auf die Altersrente für schwerbehinderte Menschen, wenn sie zum Zeitpunkt des Rentenantrags zwar nicht schwerbehindert, aber berufs- oder erwerbsunfähig nach dem Ende 2000 geltenden Recht waren.

! Tipp 100
ALG II kann günstiger als die Rente sein

Wer die Wahl zwischen ALG II und Rente hat, wird sich häufig fragen: Wie soll ich mich entscheiden? Welche Leistung bringt mir Vorteile? Einiges mag in einem solchen Fall zunächst für die Rente sprechen. Schließlich sind Sie als Rentenbezieher (endlich) nicht mehr von einer Behörde abhängig, müssen sich nicht mehr dort melden. Doch wenn Sie diese »Freiheit« wählen, müssen Sie dafür manchmal teuer bezahlen: mit monatlichen Renteneinbußen bis zum Lebensende. Drei wichtige finanzielle Gründe können nämlich für eine Entscheidung gegen die vorzeitige Rente und für den weiteren Bezug von ALG II sprechen:

Höhe von Rente und ALG II

Sie sollten sich ausrechnen: Wie stehen Sie finanziell besser da: Mit Rente oder mit ALG II? Gerade bei Frauen (die häufig weniger Rentenversicherungsjahre vorweisen können als Männer und oft auch weniger verdient haben) fällt die Altersrente häufig sehr niedrig aus. Mit ALG II steht man sich dann unter Umständen besser. *Tipp:* Lassen Sie sich in jedem Fall vor dem Rentenantrag von der Rentenversicherung Schwarz auf Weiß geben, mit wie viel Altersruhegeld Sie rechnen können. Denken Sie dabei auch daran, dass Sie von der Rente selbst noch Beiträge an die Kranken- und Pflegeversicherung abführen müssen. Die für das SGB II zuständigen Träger übernehmen diese Beiträge dagegen für Sie (siehe Tipp 102). Falls Sie einen (Ehe-) Partner haben, müssen Sie natürlich einbeziehen, wie es sich für diesen auswirkt, wenn Sie Rente beantragen. Bei einer höheren Rente für Sie wird möglicherweise auch für diesen ALG II wegfallen, weil die Bedarfsgemeinschaft dann keinen Hilfebedarf mehr hat.

ALG-II-Bezug erhöht die Rente geringfügig

Hinzu kommt: Wenn Sie nicht vorzeitig in Rente gehen und stattdessen ALG II beziehen, zählt die Zeit des ALG-II-Bezugs für Sie als Versicherungszeit. Ein Jahr ALG-II-Bezug schlägt sich für Sie in einer Erhöhung Ihrer späteren Monatsrente nieder – allerdings mit lediglich 4,26 € (siehe Tipp 101). Dieser Betrag würde dann gelten, wenn Sie aktuell Rente beantragen würden.

Vorzeitiger Renteneintritt bringt Rentenkürzung

Die meisten Rentenberechtigten können aufgrund der Spargesetze der letzten Jahre zwar noch ein vorzeitiges Altersruhegeld in Anspruch nehmen. Sie werden dafür aber dann mit erheblichen Abschlägen bei den Altersbezügen bestraft. Wenn Sie mit 60 die vorgezogene Altersrente wegen Arbeitslosigkeit beantragen, müssen Sie in der Regel mit einer Rentenkürzung um 18 Prozent rechnen. Das bedeutet: Wenn Sie beispielsweise einen Rentenspruch von 1000 € erworben haben, bekommen Sie stattdessen nur 820 € ausgezahlt. Diese Kürzung gilt lebenslänglich!

Kapitel J
Was bei der Renten-, Kranken- und Pflegeversicherung gilt

101

! Tipp 101
ALG-II-Bezieher sind rentenversichert

Aber nur 4,26 € Rente nach einem Jahr mit ALG II

Empfänger von ALG II werden auf Kosten der zuständigen Träger rentenversichert – allerdings auf niedriger Grundlage. Was das für die Betroffenen bedeutet, erklärt Thomas Schulzki, Rentenexperte bei der Landesversicherungsanstalt (LVA) Rheinprovinz.

Wer wird nach dem neuen Sozialgesetzbuch II rentenversichert?
Schulzki: Jeder, der zur so genannten Bedarfsgemeinschaft gehört und erwerbsfähig ist. Ein Beispiel: In einer vierköpfigen Familie mit Vater, Mutter und zwei Kindern unter 15 Jahren werden beide Elternteile versichert. Dies gilt auch dann, wenn ein Elternteil bislang weder erwerbstätig noch arbeitslos, sondern – beispielsweise – Hausfrau oder Hausmann war.

Werden auch Kinder rentenversichert?
Schulzki: Ja, sie müssen allerdings mindestens 15 Jahre alt und – gesundheitlich gesehen – erwerbsfähig sein. Schüler werden nicht rentenversichert.

Hängt die Höhe der Versicherungsbeiträge von der Leistungshöhe ab?
Schulzki: Nein. Ohne Rücksicht auf die tatsächliche Höhe der Leistung wird ein einheitlicher Verdienst von 400 € monatlich für den Rentenbeitrag zu Grunde gelegt. Derzeit liegt der Rentenbeitragssatz bei 19,5 Prozent. Die zuständigen Träger führen daher für jeden Hilfeberechtigten genau 78 € pro Monat an die Rentenversicherung ab. Daraus ergibt sich bei einem einjährigen Bezug dieser Leistung später eine monatliche Rentensteigerung von 4,26 €.

Gibt es Unterschiede zwischen alten und neuen Bundesländern?
Schulzki: Nein. Die Zeit des Bezugs von Arbeitslosengeld II wird in Ost- und Westdeutschland gleich hoch bewertet. Die Rentenbeiträge zahlt die zuständige Stelle für das SGB II.

Was passiert, wenn es wegen fehlender Bedürftigkeit kein ALG II gibt?
Schulzki: Dann werden auch keine Beiträge an die Rentenversicherung abgeführt. Die Zeit der Arbeitslosigkeit zählt allerdings unter Umständen als Anrechnungszeit,

wenn sich die Betroffenen arbeitslos melden und vorher versicherungspflichtig waren (siehe unten).

Was ändert sich für diejenigen, die bis Ende 2004 Arbeitslosenhilfe bezogen?
Schulzki: Die Höhe der Beitragszahlung verringert sich meist. Bisher berechneten die Arbeitsagenturen die Rentenbeiträge für die Arbeitslosenhilfebezieher nach der jeweils tatsächlich gezahlten Arbeitslosenhilfe. Das waren im Juni 2004 im Schnitt monatlich 526,61 €. Im Schnitt führten die Arbeitsagenturen damit 102,69 € monatlich an die Rentenkassen ab. Zeiten der Arbeitslosigkeit sind für die Betroffenen damit künftig im Schnitt deutlich weniger wert als bislang.

Was ändert sich für ehemalige Sozialhilfebezieher?
Schulzki: Wer 2004 noch Sozialhilfe bezog und erwerbsfähig ist, wird ab 2005 als Bezieher von Arbeitslosengeld II pflichtversichert. Die Betroffenen stehen sich damit besser. Sie erwerben damit künftig Rentenansprüche, was bei Beziehern von Sozialhilfe nicht der Fall war.

Können sie damit neben einer Mini-Rente noch weitere Leistungen der Rentenversicherung erhalten?
Schulzki: Ja. Nach sechs Monaten Beitragszahlung können sie eine medizinische Rehabilitation – also eine Kur – in Anspruch nehmen. Eine Erwerbsminderungsrente kommt für sie in Frage, wenn sie 36 Beitragsmonate innerhalb einer Frist von fünf Jahren vorweisen können.

Was geschieht, wenn Bezieher von ALG II noch keine Rentenversicherungsnummer haben?
Schulzki: Darum kümmern sich die für das SGB II zuständigen Träger. Wer bislang noch nicht rentenversicherungspflichtig war, erhält von diesen eine Rentenversicherungsnummer.

Wer kein ALG II erhält: Arbeitslosmeldung sichert Rentenansprüche

Auch wer nach dem Auslaufen des regulären Arbeitslosengelds (I) kein ALG II erhält, sollte sich möglichst weiterhin bei der Arbeitsagentur arbeitslos melden. Das kann sich unter anderem bei der Rente auszahlen.
Zeiten der Arbeitslosigkeit werden dann nämlich als so genannte Anrechnungszeit bewertet. Solche Zeiten sind vor allem wichtig, weil hierdurch häufig der Anspruch auf eine Erwerbsminderungsrente aufrechterhalten bleibt. Sie zählen auch mit, wenn es darum geht, ob die Betroffenen vorzeitig in Rente gehen können. Sie werden nämlich berücksichtigt, wenn geprüft wird, ob die 35-jährige Wartezeit für eine flexible Altersrente erfüllt ist (siehe Tipp 99). Allerdings: Höher fällt die Rente hierdurch nicht aus.
Tipp: Es reicht nicht, sich einmal arbeitslos zu melden. Die Arbeitslosmeldung muss auch mindestens alle drei Monate erneuert werden – sonst werden die Betroffenen aus der Arbeitslosenkartei gestrichen. Näheres dazu steht im Ratgeber »111 Tipps für Arbeitslose« aus dem Bund-Verlag (siehe Info-Tipps am Ende von Tipp 111).

! Tipp 102
Kranken- und Pflegeversicherung: ALG-II-Bezieher sind pflichtversichert

102

Bei der Kranken- und Pflegeversicherung gibt es für Bezieher von ALG II und ihre Familienangehörigen in aller Regel keine Probleme. § 5 des fünften Sozialgesetzbuchs (SGB V) bestimmt nämlich: »Versicherungspflichtig sind [...] Personen in der Zeit, für die sie Arbeitslosengeld II nach dem Zweiten Buch beziehen, soweit sie nicht familienversichert sind, es sei denn, dass diese Leistung nur darlehensweise gewährt wird«.

Die ALG-II-Bezieher werden auf Kosten der Ämter in einer gesetzlichen Kasse ihrer Wahl bzw. in ihrer bisherigen Kasse pflichtversichert. Die weiteren Mitglieder der Bedarfsgemeinschaft sind als Familienmitglieder mitversichert (siehe Tipp 22). Die Betroffenen erhalten von ihrer Kasse jeweils eine Versichertenkarte, aus der nicht ersichtlich ist, dass es sich um Bezieher von ALG II bzw. Sozialgeld handelt.

Rückkehr in die gesetzliche Versicherung

Für diejenigen, die zuletzt überhaupt nicht oder privat krankenversichert waren, wird über den Bezug von ALG II die Tür zur gesetzlichen Krankenversicherung (GKV) nochmals geöffnet. Dies ist beispielsweise für Selbstständige wichtig, die als Unternehmer oder Freiberufler Schiffbruch erlitten haben.

Besondere Hürden für die Rückkehr in die GKV baut das fünfte Sozialgesetzbuch für Ältere auf. Diesen ist in den meisten Fällen selbst dann, wenn sie Arbeitslosengeld (I) beziehen, die Wiederaufnahme in gesetzliche Kassen versperrt (mehr dazu im Ratgeber »111 Tipps für Arbeitslose«, siehe Info-Tipps am Ende von Tipp 111). Anders sieht es für diejenigen aus, die Leistungen nach dem zweiten Sozialgesetzbuch beziehen. Ein neu in § 6 Abs. 3 a des fünften Sozialgesetzbuchs eingefügter Satz öffnet den Betroffenen die GKV-Tore: Er lautet: »Satz 1 (der die Rückkehr in die GKV in der Regel ausschließt, d. Verf.) gilt nicht für Bezieher von Arbeitslosengeld II«.

Wichtig ist: Antragsteller sind über die Ämter erst dann versichert, wenn ALG II bewilligt ist – dann allerdings rückwirkend ab dem Tag der Antragstellung. Wer in der Zeit, in der er noch keinen Bewilligungsbescheid erhalten hat, Kassenleistungen in Anspruch nimmt, sollte sich vorher mit seiner Krankenkasse in Verbindung setzen und mit dieser einen vorläufigen Versicherungsschutz vereinbaren.

Ämter zahlen auch für Privatkassen – allerdings meist nicht den vollen Beitrag

Auch wer bislang privat krankenversichert war, wird bei Bezug von ALG II grundsätzlich wieder in der GKV pflichtversichert. Die Betroffenen können allerdings innerhalb der ersten drei Monate nach Eintritt der Versicherungspflicht einen Befreiungsantrag stellen. Hierüber sollte man sich ausführlich beim zuständigen Amt und bei seiner Krankenkasse beraten lassen. Wichtig ist dabei: Die Träger des ALG II beteiligen sich auch an den Beiträgen zur privaten Krankenversicherung. Sie zahlen aber nur den Pauschalbetrag, den sie auch an die gesetzlichen Kassen überweisen – und das sind für Kranken- und Pflegeversicherung zusammen knapp 140 € pro Monat.

Tipp 103
Bei Krankheit während des ALG-II-Bezugs: Arbeitsunfähigkeit melden – »Stütze« läuft weiter

Wer während des ALG-II-Bezugs erkrankt, muss seine Krankheit »unverzüglich« anzeigen. So bestimmt es § 56 SGB II. Unverzüglich meint dabei: Spätestens am dritten Tag nach Eintritt der Arbeitsunfähigkeit. Die Ämter zahlen dann zunächst sechs Wochen lang die bisherigen Leistungen weiter. Nach dem Ablauf von sechs Krankheits-Wochen sind grundsätzlich die Krankenkassen für die Zahlung von »Kranken-ALG-II« zuständig. Für die Betroffenen macht dies keinen Unterschied, weil die Kassen genauso viel oder wenig überweisen wie vorher die Ämter.
Angehörige, die über Familienmitglieder krankenversichert sind, haben keinen Anspruch auf Krankengeld von der Krankenkasse – für diese übernehmen die Träger des ALG II deshalb auch nach Ablauf der 6-Wochen-Frist weiter die monatlichen Zahlungen.

104

Tipp 104
Wenn Sie kein ALG II erhalten: An die Kranken- und Pflegeversicherung denken

Viele, deren Arbeitslosengeld (I) ausläuft oder die bis Ende 2004 Arbeitslosenhilfe erhalten haben, gehen beim ALG II leer aus. Wie steht es dann um die Kranken- und Pflegeversicherung der Betroffenen? Es gibt mehrere Möglichkeiten:

Möglichkeit 1: Familienversichert über den Ehepartner oder die Eltern

Wer kein ALG II erhält, sollte zunächst prüfen, ob er Anspruch auf die »Familienhilfe« – eine kostenlose Mitversicherung – der gesetzlichen Kranken- und Pflegeversicherung hat. Ein Anrecht hierauf haben zum einen die Ehepartner der Versicherten, soweit sie regelmäßig nur Einkünfte bis zu 345 € im Monat haben (für geringfügig Beschäftigte gilt eine Verdienstgrenze von 400 €). Auch Kinder unter 18 Jahren sowie Jugendliche unter 23 Jahren, die arbeitslos sind oder keinen Ausbildungsplatz haben, sind mitversichert. Diese Familienhilfe gibt es allerdings nur bei der gesetzlichen Krankenversicherung. Für diejenigen, deren Ehepartner privat krankenversichert ist, kommt diese Möglichkeit also nicht in Frage.

Möglichkeit 2: Freiwillige Versicherung

Wer zuletzt bereits Mitglied in einer gesetzlichen Kranken- und Pflegekasse war, kann seine Versicherung in der Regel freiwillig fortsetzen. Das gilt allerdings nur dann, wenn er unmittelbar vorher mindestens zwölf Monate ohne Unterbrechung oder in den letzten fünf Jahren mindestens zwei Jahre (auch mit Unterbrechungen) gesetzlich krankenversichert war.

Darüber hinaus müssen die Betroffenen ihrer Versicherung innerhalb von drei Monaten mitteilen, dass sie Mitglied bleiben wollen. Wer diese 3-Monats-Frist versäumt, kann seine bereits bestehende Mitgliedschaft nicht mehr fortsetzen. Wer keinen Anspruch auf ALG II hat und auch nicht über die Familienversicherung einer gesetzlichen Krankenkasse abgesichert ist, sollte deshalb, sobald er seinen Arbeitsplatz verliert, die freiwillige Weiterversicherung beantragen.

Die Betroffenen müssen dann allerdings den vollen Beitrag selbst zahlen. Wenn sie nur äußerst geringe Einkünfte haben oder nur von ihren Ersparnissen leben, wird ein monatlicher Mindestbetrag verlangt. Dieser liegt 2004 – bei gewissen Unterschieden zwischen den einzelnen gesetzlichen Krankenkassen – bei etwa 110 € im Monat. Wer einen gut verdienenden Ehepartner hat, muss gegebenenfalls deutlich mehr bezahlen. Denn bei der Beitragsbemessung berücksichtigen die gesetzlichen Kassen entsprechend ihrer Satzung auch das Ehepartner-Einkommen. Nachweisbare besondere Belastungen – wie etwa Unterhalts-Zahlungen für gemeinsame Kinder – mindern allerdings die Beitragszahlungen.

104

Wer freiwillig in der gesetzlichen Krankenkasse (weiter)versichert ist, ist seit 1995 gleichzeitig auch versicherungspflichtig in der gesetzlichen Pflegeversicherung. Auch die Beiträge zur freiwilligen Weiterversicherung in der Pflegekasse müssen die Betroffenen allein tragen. Der monatliche Mindestbeitrag beträgt hier 2005: 13,68 € (bzw. für Kinderlose: 14,89 €). Je nach Einkommen des Ehepartners muss entsprechend mehr gezahlt werden.

Bei niedrigem Einkommen:
Zuschuss zur Kranken- und Pflegeversicherung

Wenn das eigene oder das Einkommens des Partners nur geringfügig über der Schwelle des ALG-II-Bedarfs liegt, sollen sich die zuständigen Ämter zumindest an der Kranken- und Pflegeversicherung derjenigen beteiligen, die sich selbst versichern müssen. Ein *Beispiel:* Wenn der Beitragssatz zur Kranken- und Pflegeversicherung 135 € beträgt und das Einkommen 50 € über der ALG-II-Schwelle liegt, sollen demnach 85 € vom Amt übernommen werden.

Dass so verfahren werden soll, hat das Bundesministerium für Wirtschaft und Arbeit Mitte Januar 2005 entschieden. Zunächst sollte den Betroffenen ein (fiktiver) ALG-II-Anspruch in Höhe von einem Cent zugestanden werden. Dann hätten die Ämter die vollen Beiträge zur Kranken- und Pflegeversicherung zahlen müssen. Doch jetzt hat das Ministerium eine billigere Lösung gewählt. Billiger ist die Lösung für den Staat auch deshalb, weil die Betroffenen bei der Ein-Cent-Variante auch Anspruch auf andere Leistungen gehabt hätten, die allen ALG-II-Empfängern zustehen. So wäre dann etwa auch ein nicht verdienender Partner auf Kosten der zuständigen Ämter rentenversichert gewesen (siehe Tipp 101).

Kapitel K
Welche Leistungen zur (Arbeits-)Förderung es gibt

Tipp 105

!

Schuldnerberatung, Bewerbungstraining oder Weiterbildung:

Welche Leistungen zur (Arbeits-)Förderung es gibt

Wer Anspruch auf ALG II hat, soll nicht nur durch rigide Zumutbarkeitsregeln (siehe Tipp 107) »gefordert«, sondern auch »gefördert« werden, um (wieder) Chancen auf dem Arbeitsmarkt zu haben. So sieht es jedenfalls das SGB II vor. Für jeden Hilfebedürftigen soll ein persönlicher Ansprechpartner (siehe Tipp 17) zur Verfügung stehen. Dieser soll nicht mehr als 75 Arbeit Suchende und die mit ihnen zusammenlebenden Angehörigen betreuen. Bis eine derartige Betreuungsdichte erreicht ist, wird aber noch sehr viel Zeit vergehen. Derzeit muss ein Vermittler bei den Arbeitsagenturen bis zu 1000 »Kunden« betreuen.

Grundsätzlich können ALG-II-Empfänger nicht nur Leistungen der Arbeitsvermittlung und -beratung in Anspruch nehmen, sondern auch andere Hilfen, die ihre persönliche Eingliederung in Arbeit erleichtern. Dazu zählen etwa eine psychosoziale Betreuung, Schuldner- und Suchtberatung oder Betreuungsleistungen für Kinder.

Wer jünger als 25 ist und Hilfe benötigt, soll künftig unverzüglich in eine Ausbildung, einen Job oder eine »Arbeitsgelegenheit« (siehe Kasten auf der nächsten Seite) vermittelt werden. Können Jugendliche ohne Berufsabschluss keinen Ausbildungsplatz bekommen, soll erreicht werden, dass die vermittelte Arbeit zumindest zur Verbesserung ihrer beruflichen Kenntnisse und Fähigkeiten beiträgt.

Für alle ALG-II-Bezieher kommen die üblichen Maßnahmen der Arbeitsförderung in Frage – wie Jobtrainings, berufliche Bildung, Mobilitätshilfen, Zuschüsse zu Bewerbungskosten oder Eingliederungszuschüsse (siehe Kasten auf der nächsten Seite).

Generell gilt: Wer ALG II bezieht, hat keinen Rechtsanspruch auf (die obigen) Leistungen der Arbeitsförderung. Es handelt sich dabei für sie durchweg um »Kann-Leistungen«, die nur so lange gezahlt werden, wie Haushaltsmittel dafür vorhanden sind.

Und: Auf bestimmte Möglichkeiten der Arbeitsförderung haben ALG-II-Bezieher gar keinen Anspruch. Das betrifft Leistungen zur Existenzgründung. Hier sind die Betroffenen damit schlechter gestellt als diejenigen, die (noch) Arbeitslosengeld (I) erhalten. Letztere haben, wenn sie sich selbstständig machen wollen, einen Rechtsanspruch auf Überbrückungsgeld oder den Existenzgründungszuschuss für eine Ich-AG. Diese Leistungen gibt es für ALG-II-Bezieher nicht. Für sie kommt, wenn sie sich selbstständig machen wollen, allenfalls das so genannte Einstiegsgeld in Frage (siehe Tipp 106).

105

Welche Arbeitsförderleistungen in Frage kommen

Finanzielle Unterstützung bei der Arbeitssuche: Bis zu 260 € im Jahr können die Ämter auf Antrag zu den Kosten für Bewerbungsfotos, Mappen oder Porto zuschießen; zumeist werden ohne Einzelbelege pauschal fünf Euro pro nachgewiesener Bewerbung erstattet. Darüber hinaus können auch Reisekosten zu Vorstellungsgesprächen erstattet werden. Der Antrag muss dabei vor Reiseantritt gestellt werden.

Mobilitätshilfen bei der Arbeitsaufnahme: Die Arbeitsaufnahme braucht nicht an den Kosten zu scheitern, die damit – etwa bei einer möglichen Stelle in einer anderen Stadt – verbunden sind: Die Ämter können beispielsweise Pendelkosten übernehmen – und zwar sechs Monate lang die Kosten für die tägliche Fahrt zwischen Wohnung und auswärtiger Arbeitsstelle. Wer nicht pendelt, sondern einen zweiten Haushalt am neuen Arbeitsort führt, kann die so genannte Trennungskostenbeihilfe erhalten. Monatlich zahlen die Ämter für das erste halbe Jahr am neuen Arbeitsort bis zu 260 €. Fahrtkosten- und Trennungsbeihilfen müssen stets vor Aufnahme einer Beschäftigung beantragt werden. Darüber hinaus können sich die Ämter mit bis zu 4500 € an den Kosten eines Umzugs beteiligen, wenn dieser für die Aufnahme oder Beibehaltung des neuen Arbeitsverhältnisses außerhalb des so genannten »Tagespendelbereichs« erforderlich ist.

Bewerbungstraining: Wer beispielsweise bei seinem letzten Arbeitgeber 15 Jahre oder länger tätig war, wird meist gar nicht wissen, wie man heute Bewerbungen verfasst und welche Erwartungen Arbeitgeber an die Form von Bewerbungen richten. Wenn es Ihnen so geht, kann das Amt Ihnen ein Bewerbungstraining finanzieren.

Lohnkostenzuschüsse/bezuschusste Arbeitsverhältnisse: Vielleicht sind Sie gesundheitlich gehandicapt, Sie sind nicht mehr der Jüngste oder Ihre Qualifikation ist in Ihrer Region wenig gefragt? Wenn dies zutrifft, kommen für Sie möglicherweise Lohnkostenzuschüsse für einen Arbeitgeber oder auch eine Arbeitsbeschaffungsmaßnahme in Frage. Dass Ihnen ein so genannter 1- oder 2-Euro-Job vorgeschlagen wird, ist ebenfalls denkbar. Ein solcher Job, durch den kein sozialversichertertes Beschäftigungsverhältnis zustande kommt, gilt ebenfalls als zumutbar. Sie dürfen damit einen entsprechenden Vermittlungsvorschlag nicht grundsätzlich ablehnen (siehe Tipp 107). Solche Jobs sollen aber »nachrangig« angeboten werden – also dann, wenn andere Eingliederungswege gescheitert sind bzw. nicht in Frage kommen.

Berufliche Weiterbildung: Wenn Sie mit Ihrer beruflichen Qualifikation auf dem Arbeitsmarkt kaum Chancen haben, kommt für Sie unter Umständen eine berufliche Weiterbildung in Frage. Diese kann Ihnen das Amt finanzieren. Falls Sie noch keine konkreten Vorstellungen haben, wo der Weg hingehen soll, können Sie zunächst an einer Maßnahme zur Eignungsfeststellung teilnehmen, gegebenenfalls auch an einer Maßnahme zur Berufsorientierung (bei der Sie einen Überblick über verschiedene Ausbildungen erhalten, die für Sie in Frage kommen).

Vermittlungsgutschein: ALG-II-Bezieher können einen Vermittlungsgutschein erhalten, mit dem sie auch die Dienste privater Jobvermittler in Anspruch nehmen können. Mehr dazu und zu den gesamten möglichen Leistungen der Arbeitsförderung erfahren Sie in dem Ratgeber »111 Tipps für Arbeitslose« vom Bund-Verlag (siehe Info-Tipps am Ende von Tipp 111).

Tipp 106
Einstiegsgeld soll Ausstieg aus dem ALG II fördern

Wer ALG II bezieht und erwerbstätig wird, kann von seinem persönlichen Ansprechpartner (siehe Tipp 17) als Zuschuss zum Lohn ein so genanntes Einstiegsgeld (EG) bewilligt bekommen. Es beträgt für allein Stehende in der Regel höchstens 173 €.

Für wen ist das EG gedacht?
Es ist als Anreiz gedacht, um niedrig entlohnte Beschäftigungen aufzunehmen oder sich selbstständig zu machen. Die Bundesregierung bezeichnet das EG auch als Ersatz für den Existenzgründungszuschuss, den es für ALG-II-Bezieher nicht gibt.

Kommt die Leistung auch in Frage, wenn man einen 400-Euro-Job aufnimmt?
Nein. Ein Mini-Job ist für Arbeitnehmer sozialversicherungsfrei. Deshalb kann es für diesen auch kein EG geben. Wer allerdings bisher einen Mini-Job ausgeübt hat und stattdessen eine sozialversicherte Tätigkeit aufnimmt, kann EG erhalten.

Kann EG auch gezahlt werden, wenn jemand über 2500 € brutto monatlich verdient?
Grundsätzlich ja. Wer mehrere Kinder zu versorgen hat, kann auch bei einem Bruttolohn in dieser Höhe noch ALG-II-berechtigt sein (siehe Tipp 3). Wer allerdings so viel verdient, dass er keinen Anspruch mehr auf ALG II hat, erhält auch kein EG.

Wie hoch soll das EG sein und wie lange kann es gezahlt werden?
Grundsätzlich beträgt der Fördersatz »50 Prozent des Regelleistung«. Er erhöht sich »für jedes zusätzliche Mitglied der Bedarfsgemeinschaft um zehn Prozent der Regelleistung«. So steht es im »Kompendium Aktive Arbeitsmarktpolitik nach dem SGB II« der BA. Nach diesen Richtwerten soll das EG beispielsweise für einen allein Stehenden in den alten Bundesländern 173 € monatlich und in den neuen Ländern 166 € betragen – was jeweils die Hälfte der Regelleistung ist (siehe Tipp 28). Bei »gravierenden Vermittlungshemmnissen« kann es auch eine höhere Förderung geben – höchstens aber 100 Prozent der Regelleistung. Das EG kann maximal zwei Jahre lang gezahlt werden. Im zweiten Jahr kann es »heruntergefahren« werden.

Wer kann beispielsweise gefördert werden?
Das kann etwa eine allein erziehende Mutter von zwei Kindern sein, die einen Job als Kassiererin im Supermarkt aufnimmt, bei dem sie in einer 30-Stunden-Woche 1000 € brutto im Monat verdient. Von den 792,50 € wird der größere Teil mit dem ALG II verrechnet (siehe Tipp 84). Ein EG, das zusätzlich gezahlt wird, könnte für sie die Aufnahme einer Beschäftigung attraktiver machen. Sie könnte als EG monatlich 173 € zuzüglich (2 x 10 Prozent von 345 =) zwei mal 35 € für ihre beiden Kinder erhalten. Insgesamt läge das Einstiegsgeld, das es zusätzlich zum ALG II gibt, bei ihr maximal bei 243 € im Monat. In den neuen Bundesländern könnte sie 232 € erhalten.

Wird EG automatisch gezahlt?
Keinesfalls. Es muss beim persönlichen Ansprechpartner beantragt werden – und zwar in der Regel, bevor man eine Erwerbstätigkeit aufnimmt. Und es handelt sich um eine Ermessensleistung – und nicht um einen Rechtsanspruch.

Kapitel L
Was Ihnen zugemutet wird und welche Strafen drohen

107

! Tipp 107
Fast alle Arbeiten gelten als zumutbar

Ausnahmen bei Kinderbetreuung und Pflege von Angehörigen

Grundsätzlich ist »jede Arbeit zumutbar«. Das bestimmt das zweite Sozialgesetzbuch. Damit gelten für Bezieher von ALG II weit härtere Regelungen zur Zumutbarkeit als für Bezieher von Arbeitslosengeld (I) und – bis Ende 2004 – für Bezieher von Arbeitslosenhilfe.

Beispiel Lohn: Kein Empfänger von regulärem Arbeitslosengeld (I) ist verpflichtet, eine Beschäftigung aufzunehmen, die einen Nettolohn unterhalb der gezahlten Unterstützung vorsieht. Dies galt auch bei der Arbeitslosenhilfe. Anders ist es beim ALG II: Hier müssen selbst Jobs mit einem Verdienst unterhalb der Höhe des gezahlten ALG II angenommen werden. Falls das Einkommen aus dem Job nicht zur Existenzsicherung ausreicht, wird es durch ergänzende ALG-II-Leistungen aufgestockt.

Auch Löhne unterhalb der tariflichen oder ortsüblichen Standards gelten als zumutbar. Nur »sittenwidrig« darf die Entlohnung nicht sein. Wann ein Arbeitsvertrag sittenwidrig ist, ist bisher nicht eindeutig definiert. In einzelnen Gerichtsentscheidungen wurden Löhne, die um 29 bis 33 Prozent unter dem Tariflohn bzw. dem ortsüblichen Lohn lagen, noch als angemessen akzeptiert. In anderen Gerichtsentscheidungen wurde darauf abgestellt, dass der Lohn mindestens so hoch sein müsse, dass noch ein eigenständiges Leben außerhalb der Sozialhilfe ermöglicht wird. Dies gilt allerdings nur bei Vollzeiterwerbstätigkeit. Vergleichsmaßstab ist immer die Branche, in die der Betroffene vermittelt werden soll.

In einigen Bereichen gibt es aber allgemein verbindliche Tarifverträge, die nicht unterschritten werden dürfen. Dies gilt zum Beispiel in der Zeitarbeit, im Bau- und Reinigungsgewerbe. In diesen Branchen gelten die Tarifverträge für alle Beschäftigten, also auch für die Empfänger von ALG II.

Beispiel »Arbeitsgelegenheiten«: Auch die Teilnahme an so genannten Arbeitsgelegenheiten gilt für ALG-II-Empfänger als zumutbar. Dabei handelt es sich um nicht sozialversicherte Beschäftigungsverhältnisse, die »gemeinnützig und zusätzlich« sein müssen. Dafür gibt es ergänzend zum ALG II eine »Mehraufwandsentschädigung« von nur ein bis zwei Euro pro Stunde. Solche Jobs werden vor allem von Wohlfahrtsverbänden und Kommunen angeboten.

Beispiel Mini-Jobs: Zumutbar sind für ALG-II-Bezieher auch so genannte Mini-Jobs bis 400 €, die für Arbeitnehmer sozialversicherungsfrei sind (siehe auch Tipp 85). Auch die Vermittlung in Teilzeit-Jobs ist generell möglich.

Für Bezieher von Arbeitslosengeld (I) gelten dagegen Mini-Jobs als nicht zumutbar.

Beispiel befristete Tätigkeit: Auch befristete Tätigkeiten sind für ALG-II-Bezieher zumutbar – Gleiches gilt aber auch für Bezieher von Arbeitslosengeld und -hilfe.
Beispiel Arbeitsweg: Eine Arbeit darf nicht allein deswegen abgelehnt werden, weil der Beschäftigungsort weiter entfernt ist als ein bisheriger Arbeitsort – eine Begrenzung der Fahrzeit zur Arbeit auf zweieinhalb Stunden pro Tag – wie beim Arbeitslosengeld (I) und bei der früheren Arbeitslosenhilfe gibt es nicht.
Beispiel Qualifikations-/Berufsschutz: Ein Berufsschutz existiert für Bezieher von ALG II nicht – bei diesem Punkt gibt es keine Unterschiede zum Arbeitslosengeld (I) und zur vormaligen Arbeitslosenhilfe.

Für wen nicht jede Arbeit zumutbar ist

Von der Grundregel, dass alle Arbeiten zumutbar sind, gibt es einige wenige Ausnahmen:
Kindererziehung: Die vom Amt geforderte Aufnahme einer Erwerbstätigkeit darf abgelehnt werden, wenn dadurch die Erziehung eines Kindes unter drei Jahren gefährdet wird.
Pflege eines Angehörigen: Das Gleiche gilt, wenn sich die Erwerbstätigkeit nicht mit der Pflege eines Angehörigen vereinbaren lässt.
Auch wenn ein grundsätzlich erwerbsfähiger Hilfebedürftiger zu einer bestimmten Tätigkeit »körperlich, geistig oder seelisch nicht in der Lage« (§ 10 Abs.1 Nr. 1 SGB II) ist, darf er »Nein« zu dieser konkreten Arbeit sagen.
Und schließlich darf eine Arbeit abgelehnt werden, wenn »die Ausübung der Arbeit (dem Hilfebedürftigen) die künftige Ausübung seiner bisherigen überwiegenden Arbeit wesentlich erschweren würde, weil die bisherige Tätigkeit besondere körperliche Anforderungen stellt«. Darauf können sich ALG-II-Bezieher allerdings nur in Ausnahmefällen berufen: So kann etwa ein Konzertgeiger eine Vermittlung als Waldarbeiter ablehnen, weil er damit seine Fingerfertigkeit verliert.

!

Tipp 108

Arbeitsablehnung kann 792 Euro kosten

Welche Strafen Ihnen drohen

Das SGB II sieht harte Strafen für Hilfebezieher vor, die ihren gesetzlichen Verpflichtungen nicht nachkommen. Das ALG II wird um 10 bzw. 30 Prozent gekürzt, je nachdem welches Verhalten sanktioniert wird – gegebenenfalls kann die Unterstützung auch ganz gestrichen werden.
Das Arbeitslosengeld II wird **für drei Monate um zehn Prozent gekürzt,** wenn sich der Bezieher

- trotz Aufforderung nicht beim zuständigen Amt meldet,
- trotz Aufforderung nicht zu einer ärztlichen oder psychologischen Untersuchung erscheint.

Die Strafe für solche Meldeversäumnisse scheint auf den ersten Blick eher geringfügig zu sein. Das täuscht jedoch: Denn zusätzlich fällt noch der Zuschlag zum ALG II

weg, durch den der Abstieg vom Arbeitslosengeld I in das ALG II abgefedert werden soll (siehe unten und Tipp 47).
Bezieher von ALG II, die sich nicht an Vereinbarungen mit den zuständigen Ämtern halten oder ihre Pflichten verletzen, müssen allerdings noch weit massivere Kürzungen ihrer Bezüge hinnehmen.

108

Das ALG II wird **für drei Monate um 30 Prozent gekürzt,** wenn der Empfänger
- sich grundsätzlich weigert, eine Eingliederungsvereinbarung abzuschließen (siehe Tipp 18),
- sich nicht an die Vorgaben der Eingliederungsvereinbarung hält (siehe Tipp 18),
- sich weigert, eine im öffentlichen Interesse liegende Tätigkeit aufzunehmen (»Arbeitsgelegenheit«, siehe Tipp 105),
- eine zumutbare Arbeit oder Ausbildung ablehnt oder nicht fortführt.

Die Abschläge vom ALG II beziehen sich immer auf den betroffenen Hilfeempfänger und **nicht** auf die komplette Bedarfsgemeinschaft. Insoweit schließt das Gesetz eine Sippenhaftung aus.
Die »Strafzeit« beginnt einen Monat, nachdem die Absenkung des ALG II bekannt gegeben worden ist. Wer Anfang Januar beispielsweise die Annahme einer zumutbaren Arbeit verweigert und Anfang Februar hierüber einen Bescheid erhalten hat, muss ab März mit einer Kürzung des ALG II rechnen. Für den Fall, dass er Anfang März wieder Arbeit findet und daher nicht mehr auf die Leistungen des Amtes angewiesen ist, treten auch keine Sanktionen ein.

Achtung: Bei Sanktionen fällt auch der Zuschlag zum ALG II weg

Wer mit einer Kürzung seines ALG II um 30 (oder auch um 10 Prozent) bestraft wird, muss zugleich, was oft die härtere Strafe ist, auch einen Wegfall des Zuschlags zum ALG II hinnehmen – und zwar ebenfalls für drei Monate. Für einen allein stehenden Hilfebezieher, der den vollen Zuschlag zum ALG II erhält, bedeutet das, dass seine Leistungen bei einer 30-prozentigen Kürzung um insgesamt 792 € in West- und 777 € in Ostdeutschland gekürzt werden. Bei einer 10-prozentigen Kürzung sind es 585 (577) €.

Sanktionen können nur verhängt werden, wenn die Betroffenen
- keinen wichtigen Grund für ihr Verhalten haben und
- vorher über die Rechtsfolgen belehrt worden sind.

Wichtige Gründe bei Meldeversäumnissen sind nach den Durchführungshinweisen der BA vor allem
- die »Vorstellung bei einem Arbeitgeber zu einem von diesem gewünschten Termin«,
- der »Nichterhalt der Meldeaufforderung«,
- eine »arbeitsunfähige Erkrankung«,
- » sonstige, vom Meldepflichtigen nicht zu vertretende Gründe (z. B. unvorhersehbarer Ausfall von öffentlichen Verkehrsmitteln)«.

Bei Wiederholung: doppelte Strafe

Weigert sich der Empfänger **innerhalb des 3-Monats-Zeitraums,** in dem er bereits von einer Kürzung betroffen ist, noch einmal, eine Arbeit anzunehmen oder kommt es zu neuen anderen Regelverstößen (dazu gehört auch ein Meldeversäumnis), so können die Leistungen nochmals um 30 bzw. zehn Prozent**punkte** gekürzt werden. Aus der 30-prozentigen Kürzung wird dann eine 40 bzw. 60-prozentige Kürzung des Regelbedarfs. Bei einer Häufung von Verstößen innerhalb von drei Monaten kann sogar der Regelbedarf ganz gestrichen werden.
Bei wiederholter Missachtung der gesetzlichen Regelungen kann außer dem Regelbedarf auch der Mehrbedarf (etwa für allein Erziehende, siehe Tipps 29 bis 32) gekürzt werden. Die Ämter können dann sogar Abstriche bei der Übernahme der Kosten der Unterkunft machen. Letzteres ist allerdings nach den Durchführungshinweisen der BA in der Regel nicht zu erwarten: Darin heißt es: »Insbesondere im Falle der Kosten für Unterkunft und Heizung kommt eine Minderung infolge drohender Obdachlosigkeit in aller Regel nicht in Betracht.«

!

Tipp 109

Wenn unter 25-Jährige Arbeit ablehnen:

ALG-II-Regelleistungen werden ganz gestrichen

Die in Tipp 108 beschriebenen Sanktionen gelten für Hilfebezieher, die bereits mindestens 25 Jahre alt sind. Wer jünger als 25 Jahre ist, kann noch weit härter bestraft werden, wenn er gegen die gesetzlichen Regeln zur Arbeitspflicht verstößt.
Hilfebedürftigen, die zwischen 15 und 25 Jahre alt sind, müssen die zuständigen Stellen »unverzüglich nach Antragstellung auf Leistungen nach diesem Buch in eine Arbeit, eine Ausbildung oder eine Arbeitsgelegenheit vermitteln«. Dies bestimmt § 3 Abs. 2 des zweiten Sozialgesetzbuchs. Die Ämter sind damit in der Pflicht, sich besonders um die Arbeits- und Ausbildungsvermittlung für unter 25-Jährige zu kümmern. Im Gegenzug nimmt der Gesetzgeber aber auch die Betroffenen besonders in die Pflicht: Sie dürfen zu Angeboten von Ausbildungs- oder Arbeitsplätzen oder »Arbeitsgelegenheiten« (Billig-Jobs) im Prinzip nicht mehr »Nein« sagen. Tun sie es doch, so gilt für sie kein abgestuftes System von Strafen, sondern sofort der Absturz ins »Nichts«.
Junge erwerbsfähige Hilfebedürftige erhalten, soweit sie sich beispielsweise weigern, eine Eingliederungsvereinbarung abzuschließen oder eine angebotene Arbeits- oder Ausbildungsstelle ablehnen, mit Ausnahme der Kosten für Unterkunft und Heizung keine Geldleistung aus der Grundsicherung für Arbeitsuchende mehr. Für den Kauf von Lebensmitteln sollen sie dann Gutscheine bekommen. Voraussetzung für diese Sanktionen ist: Die Betroffenen müssen zuvor über die Rechtsfolgen belehrt worden sein.
Wenn sich jüngere Hilfebezieher lediglich ein so genanntes Meldeversäumnis zuschulde kommen lassen, wird das ALG II – wie bei Älteren – um zehn Prozent der maßgebenden Regelleistung gekürzt und der Zuschlag zum ALG II nicht gezahlt – soweit hierauf überhaupt ein Anspruch bestand.

Kapitel M
Wie Sie Ihre Rechte durchsetzen können

110

Tipp 110

Gegen Bescheide von den Ämtern:

Widerspruch und Klage können sich lohnen

Wenn Sie mit einem Bescheid vom Amt nicht einverstanden sind, bleibt Ihnen noch genau ein Monat Zeit, um Widerspruch dagegen einzulegen – und zwar ab dem Zeitpunkt, zu dem das Schreiben bei Ihnen ankommt. Diese Frist muss auch stets in den Bescheiden der Ämter mitgeteilt werden. In einer solchen »Rechtsbehelfsbelehrung« müssen Sie auch darauf aufmerksam gemacht werden, welche Möglichkeiten Sie haben, sich gegen eine Entscheidung des Amtes zu wehren. Der Widerspruch muss schriftlich – am besten per Einschreiben mit Rückschein – erfolgen. Sie sollten ihren Widerspruch ausführlich begründen. Dafür braucht man keinen Anwalt einzuschalten. Man sollte sich jedoch von Fachleuten, etwa von den Mitarbeitern der vielen Arbeitsloseninitiativen oder – als Gewerkschaftsmitglied – von den zuständigen Rechtsschutzsekretären beraten lassen.

Das gehört in Ihr Widerspruchsschreiben:

- Ihr Name und Ihre Anschrift,
- Ihre Kunden-/Stammnummer,
- der Adressat des Widerspruchs: Zuständiger Träger, Widerspruchsstelle,
- Datum des Bescheids, gegen den Sie Widerspruch einlegen,
- die Überschrift »Widerspruch« oder der Satz »Ich lege Widerspruch ein gegen …«,
- die Begründung,
- Ort, Datum, Unterschrift.

Was Sie tun können, wenn die Widerspruchsfrist abgelaufen ist

Wenn Sie ohne eigenes Verschulden die Widerspruchsfrist nicht eingehalten haben, können Sie in Ausnahmefällen die »Wiedereinsetzung in den vorigen Stand« beantragen. Eine schwere Krankheit (kein einfacher grippaler Infekt!) kann beispielsweise als Grund anerkannt werden, wenn es Ihnen nicht möglich war, eine Vertretung zu bevollmächtigen. Im Zweifel müssen Sie belegen, warum Sie es versäumt haben, rechtzeitig Widerspruch einzulegen.

(Noch) keine Gerichtskosten bei Klage

Wird ein Widerspruch abgelehnt, dann erhält man einen Widerspruchsbescheid. Gegen diesen kann man innerhalb eines Monats Klage erheben. Für Klagen gegenüber den für das SGB II zuständigen Trägern sind die Sozialgerichte zuständig. Eine Klage können Sie selbst aufsetzen. Dazu muss man kein kompliziertes Juristen-Deutsch können. Die Klage muss in zweifacher Ausfertigung beim Gericht eingereicht werden. Dazu sollte man in jedem Fall an eine Fotokopie bzw. einen Durchschlag für die eigene Akte denken. Wem die Klageformulierung schwer fällt, der kann seine Klage auch bei der so genannten Rechtsantragsstelle des Sozialgerichts zu Protokoll geben. Dort sitzen erfahrene Urkundsbeamte, die für die Betroffenen kostenlos eine Klage aufsetzen. Die Öffnungszeiten der Rechtsantragsstelle sollte man beim örtlichen Sozialgericht erfragen.

Das gehört in Ihre Klageschrift:

- Ihr Name und Ihre Anschrift,
- die Institution, gegen die sich die Klage richtet,
- Widerspruchsbescheid, gegen den sich die Klage richtet, mit Datum und Aktenzeichen,
- die Überschrift »Klage« oder der Satz »Hiermit erhebe ich Klage gegen ...«,
- das Ziel der Klage,
- Klagebegründung,
- Ort, Datum, Unterschrift.

Das Verfahren vor dem Sozialgericht ist derzeit noch kostenlos, das wird sich aber möglicherweise demnächst ändern. Wer allerdings vor Gericht unterliegt und einen Rechtsanwalt mit der Wahrnehmung seiner Interessen beauftragt hatte, muss für die Kosten seines Anwalts selbst aufkommen. Die Kosten für eine Beratung und gerichtliche Vertretung durch einen Anwalt lassen sich aber minimieren, wenn man Beratungs- und Prozesskostenhilfe bekommt. Antragsteller oder Bezieher von ALG II sollten stets prüfen, ob sie Anspruch auf Unterstützung bei den Kosten für ihren Anwalt haben. Gewerkschaftsmitglieder können – auf Antrag – kostenlos den Rechtsschutz ihrer Einzelgewerkschaft und der DGB-Rechtsschutz GmbH in Anspruch nehmen.
Wer einen Anwalt zu Rate ziehen will, sollte bedenken: Viele Rechtsanwälte kennen sich im Sozialrecht und erst recht im völlig neuen SGB II nicht besonders gut aus. Deshalb sollte man sich vorher nach einem Spezialisten umhören. Zu ihnen gehören die »Fachanwälte für Sozialrecht«.

Prozesskostenhilfe

Falls Sie einen Anwalt einschalten, um sich mit Widerspruch oder Klage gegen eine Entscheidung des SGB-II-Trägers zu wehren, kann dieser gegebenenfalls über die staatliche Prozesskostenhilfe finanziert werden. Über den Antrag auf diese Hilfe können Sie sich ebenfalls bei der Rechtsantragstelle des Sozialgerichts informieren.
Prozesskostenhilfe erhalten Sie bei »Bedürftigkeit« und nur dann, wenn Ihre Klage – oder einstweilige Anordnung (siehe Tipp 111) – gewisse Erfolgsaussichten hat. Sie können auch direkt zu einem Anwalt gehen (etwa weil Ihnen dieser von einer Arbeitsloseninitiative empfohlen wurde). Diesen sollten Sie dann allerdings darauf hinweisen, dass er Sie nur im Rahmen der Prozesskostenhilfe vertreten soll. Er stellt für Sie dann die notwendigen Anträge bzw. rät Ihnen – wenn ihm juristische Schritte aussichtslos erscheinen – vom Einlegen von Rechtsmitteln ab.

!

Tipp 111

Wichtiges Rechtsmittel beim ALG II:

Die einstweilige Anordnung

111

Sie können sich mit Widerspruch und einer »normalen« Klage gegen Entscheidungen der Träger wehren, die für das zweite Sozialgesetzbuch zuständig sind (siehe Tipp 110). Bis eine rechtskräftige Entscheidung vorliegt, müssen Sie jedoch unter Umständen monatelang warten. So viel Zeit hat aber kaum jemand, wenn es um die Existenzsicherung geht. Daher haben in der Vergangenheit Sozialhilfeempfänger oft versucht, ihre Klage in einem Eilverfahren durchzusetzen. Diese Möglichkeit wird auch für Bezieher (oder Antragsteller) von ALG II wichtig sein.
Das Sozialgerichtsgesetz eröffnet dazu in § 86 b Abs. 2 die Möglichkeit der einstweiligen Anordnung. In einem einstweiligen Verfahren soll schneller entschieden werden. Wenn eine für Sie negative Entscheidung des SGB-II-Trägers Sie in eine Notlage bringt – etwa weil Sie Ihren Lebensunterhalt nicht mehr sichern oder Ihre Miete nicht mehr bezahlen können – können Sie deshalb Widerspruch einlegen und gleichzeitig eine einstweilige Anordnung beantragen.
Auch dazu benötigen Sie nicht unbedingt einen Anwalt. Sie können den Antrag mündlich bei der Rechtsantragsstelle Ihres Sozialgerichts stellen. Dort helfen Ihnen Rechtspfleger bei der Formulierung und Niederschrift Ihres Antrags. Sie müssen Ihre dringende Notlage detailliert schildern und belegen. Gegebenenfalls müssen Sie die Angaben durch eine eidesstattliche Versicherung glaubhaft machen.
Wer sich allerdings im Umgang mit Gerichten und Behörden nicht allzu gut auskennt, tut gut daran, sich fachkundig beraten zu lassen und einen (Fach-)Anwalt zu nehmen (siehe Tipp 110).

Bei ungerechter Behandlung: An den Ombudsrat wenden

Die Bundesregierung hat einen »Ombudsrat« eingesetzt, der die Einführung des ALG II und seine Auswirkungen auf den Arbeitsmarkt begleiten soll. »Empfänger von Arbeitslosengeld II, die sich ungerecht behandelt fühlen, können sich an den Rat wenden«, heißt es dazu in einer Presseerklärung der Bundesregierung.
Der Rat soll aus seinen Beobachtungen und den an ihn gerichteten Eingaben der vom ALG II Betroffenen Schlussfolgerungen für die Weiterentwicklung der Regelungen zum Arbeitslosengeld II ziehen und entsprechende Empfehlungen geben.
Mitglieder des Rates sind die ehemalige Familienministerin Christine Bergmann, der frühere Ministerpräsident von Sachsen Kurt Biedenkopf und der ehemalige Vorsitzende der IG Chemie-Papier-Keramik Hermann Rappe.
Wichtig: Natürlich können und sollten Betroffene sich an den Rat wenden. Das ersetzt allerdings nicht ein reguläres Widerspruchs- und Klageverfahren. Es gibt keinerlei Garantie dafür, dass der Ombudsrat bestimmten Eingaben nachgeht. Und selbst wenn er sich um konkrete Einzelfälle kümmert, ist nicht sicher, dass er auch tatsächlich Abhilfe schafft. Wenn Sie meinen, dass in Ihrem Fall ein Bescheid des für das SGB II zuständigen Trägers nicht rechtmäßig ist, sollten Sie deshalb in jedem Fall Widerspruch und – wenn das nicht hilft – Klage einlegen. Den Ombudsrat (zusätzlich) einzuschalten, macht vor allem dann Sinn, wenn es um grundsätzliche Fragen geht:

Einige Beispiele:

- Wer den befristeten Zuschlag zum Arbeitslosengeld nicht erhält, weil er den Kinderzuschlag in Anspruch nehmen muss (siehe Tipp 50), sollte sich in jedem Fall an diesen Rat wenden.
- Das Gleiche gilt, wenn der befristete Zuschlag verweigert wird, weil das Einkommen der Bedarfsgemeinschaft nur einige Euro über dem Bedarf liegt, der der Gemeinschaft zusteht (siehe Tipp 47).
- Sich an den Ombudsrat zu wenden, empfiehlt sich auch, wenn pro Entfernungskilometer nur sechs Cent als vom Einkommen absetzbare Fahrtkosten anerkannt werden (siehe Tipp 89).

Die Adresse:
Ombudsrat
Bundesministerium für Wirtschaft und Arbeit
Scharnhorststr. 34–37, 10115 Berlin
www.ombudsrat.de

Info-Tipps

Ratgeber/Bücher

- **111 Tipps für Arbeitslose,** 10. Auflage (Stand: 1.4.2004), von Rolf Winkel und Hans Nakielski, herausgegeben vom DGB-Bundesvorstand, Frankfurt am Main: Bund-Verlag 2004, 272 Seiten, 9,90 €
- **Sozialgesetzbuch Zweites Buch (SGB II) – Grundsicherung für Arbeitsuchende,** Gesetzestext und Erläuterungen, von Albrecht Brühl und Albert Hofmann. 186 Seiten, 12,80 €. Zu bestellen per Fax unter (069) 56003-758, per E-Mail bei dr.ahofmann@t-online.de
- **111 Tipps zu Sozialleistungen** – ein Ratgeber für gering verdienende Erwerbstätige und Arbeitslose, 3. Auflage (Stand: Frühjahr 2005), von Rolf Winkel, Hans Nakielski und Ulli Schauen, herausgegeben vom DGB-Bundesvorstand, Frankfurt am Main: Bund-Verlag, ca. 160 Seiten, ca. 9,90 €, erscheint voraussichtlich im Frühjahr 2005
- **Leitfaden für Arbeitslose,** 21. Auflage (Stand: 1.1.2004), herausgegeben vom Arbeitslosenprojekt TUWAS der Fachbereiche Sozialarbeit und Sozialpädagogik der Fachhochschule Frankfurt, 2004, 592 Seiten, 11,– €. (Ein neuer Leitfaden mit Informationen zum ALG II erscheint 2005.)

Internet

Hilfe beim Ausfüllen des Antragsformulars/Datenschutz

- Unter www.arbeitsagentur.de finden Sie »Ausfüllhinweise ALG II-Anträge« mit Hinweisen zum Datenschutz. Diese Hinweise hat die BA zusammen mit dem Bundesbeauftragten für den Datenschutz entwickelt.
- Unter www.datenschutzzentrum.de / allgemein / alg2.htm finden Sie ausführlichere Infos des Unabhängigen Landeszentrums für Datenschutz Schleswig-Holstein (ULD) zur Frage: Wie kann ein Antragsteller bei der Beantragung von ALG II seine Datenschutzrechte wahren?

Ansprüche ausrechnen

- Unter www.arbeitnehmerkammer.de / sozialpolitik finden Sie einen Link, mit dem Sie direkt zum »Einkommensrechner« des Bundesministeriums für Wirtschaft und Arbeit gelangen. Dort können Sie Ihr individuell zu berücksichtigendes Einkommen berechnen. Der Rechner weist korrekte Werte aus.
- Unter www.osnabrueck.de / php / online-rechner / alg2-eingabe.htm finden Sie einen Arbeitslosengeld II-Rechner, mit dem Sie vor allem Ihren Bedarf ausrechnen können.

Laufende Informationen

- Eine »erste Adresse« für aktuelle Infos zum ALG II (und generell zur Sozialpolitik) sind die Sozialpolitik-Seiten der Arbeitnehmerkammer www.arbeitnehmerkammer.de / sozialpolitik
- Der Selbsthilfeverein Tacheles e.V., Luisenstraße 100, 42103 Wuppertal, Tel. (02 02) 31 84 41 informiert und berät zu Sozialleistungen (Arbeitslosengeld II, Arbeitslosengeld, Wohngeld etc.), berät bei der Antragstellung und bietet viele Hintergrund-Informationen. Adresse: www.tacheles-sozialhilfe.de
- Die Homepage des Fördervereins gewerkschaftliche Arbeitslosenarbeit e.V. unter www.erwerbslos.de liefert viele Infos und Tipps zum Arbeitslosengeld I und II, Herausgeber: Koordinierungsstelle gewerkschaftlicher Arbeitslosengruppen, Märkisches Ufer 28–34, 10179 Berlin. Unter »Adressen« findet man auch eine bundesweite Datenbank der Arbeitsloseninitiativen und -Beratungsstellen.

Gesetzestexte

- Aktuelle Gesetze, unter anderem das SGB II und das SGB III, können per Internet heruntergeladen werden unter www.arbeitnehmerkammer.de / sozialpolitik; »Gesetze« anklicken.
- **Arbeits- und Sozialordnung,** erscheint jährlich, von Michael Kittner. Frankfurt am Main: Bund-Verlag

Zeitschriften

- **»Informationen zum Arbeitslosenrecht und Sozialhilferecht«** (info also), herausgegeben vom Nomos-Verlag, Postfach 100310, 76484 Baden-Baden, Fax (0 72 21) 21 04 27, erscheint sechsmal im Jahr, Jahresabonnement: 42,– €, kostenloses Probeexemplar kann angefordert werden
- **»Soziale Sicherheit – Zeitschrift für Arbeit und Soziales«,** herausgegeben vom AiB-Verlag, Vertrieb: Bund-Verlag GmbH, Leserservice, Postfach, 60424 Frankfurt / Main, Servicetelefon (0 69) 79 50 10 96, Fax-Sofortbestellung (0 69) 79 50 10 12, erscheint monatlich, Jahresabonnement Inland: 66,– €, Einzelheft: 7,50 €, kostenloses Probeexemplar kann angefordert werden

Materialien des DGB

Drucksachen und Ratgeber:

- **»Öffentlich geförderte Beschäftigung mit oder ohne Arbeitnehmerrechte«,** Anforderungen des DGB an öffentlich geförderte Beschäftigung, Hrsg.: DGB-Bundesvorstand, Abt. Arbeitsmarktpolitik und internationale Sozialpolitik, ISA Nr. 3 / 2004
- **»Mehr Schein als Sein« – zur statistischen Bekämpfung der Arbeitslosigkeit,** Informationen zur Erfassung der Arbeitslosigkeit ab dem 1. Januar 2005, ISA Nr. 2 / 2004, Hrsg.: DGB-Bundesvorstand, Abt. Arbeitsmarktpolitik und internationale Sozialpolitik

- »**Mehr Beschäftigung durch niedrigere Löhne?**« Zu den Auswirkungen der Abschaffung der Arbeitslosenhilfe, ISA Nr. 1 / 2004, Hrsg.: DGB-Bundesvorstand, Abt. Arbeitsmarktpolitik und internationale Sozialpolitik
- »**Reformanstöße des DGB für Wachstum und Beschäftigung, Bildung und Innovation**«, Hrsg.: DGB-Bundesvorstand, Grundsatzabteilung, Januar 2004
- »**Beschäftigung und gleiche Chancen für behinderte Menschen.**« Ein Leitfaden zur Umsetzung des SGB IX und zu den Rechten der Betriebräte, Personalräte und Schwerbehindertenvertretungen. Hrsg.: DGB-Bundesvorstand, Abt. Arbeitsmarkt- und Internationale Sozialpolitik, Stand: November 2004
- Frau geht vor, »**Schwerpunkt Familienpolitik in Zeiten von Hartz IV** –Am Geld scheiden sich die Geister«, Info-Brief Nr. 4, August 2004, Hrsg.: DGB-Bundesvorstand, Abt. Gleichstellungs- und Frauenpolitik
- Frau geht vor, »**Sozial und Geschlechtergerecht**«, Die Bürgerversicherung, Info – Brief Nr. 5, Oktober 2004, Hrsg.: DGB-Bundesvorstand, Abt. Gleichstellungs- und Frauenpolitik
- »**Was sie über Mini-Jobs und Gleitzone wissen sollten!**«, Hrsg.: DGB-Bundesvorstand, Abt. Gleichstellungs- und Frauenpolitik, Mai 2003
- »**Kinder, Job und Kohle – Rententipps für Frauen**«, Hrsg.: DGB-Bundesvorstand, Abt. Gleichstellungs- und Frauenpolitik, Juli 2003
- »**Das neue Bundeserziehungsgeldgesetz – Erziehungsgeld und Elternzeit**«, Hrsg.: DGB-Bundesvorstand, Abt. Gleichstellungs- und Frauenpolitik, März 2003, mit Einlegeblatt zu den Neuregelungen ab 1.1.2004
- »**Agentur für Arbeit: Neuer Name – Neue Regeln. Mit den Hartz-Gesetzen**« wurde auch die Arbeitslosenversicherung selbst geändert. So wurden z.B. die Voraussetzungen für den erstmaligen Anspruch auf Arbeitslosengeld oder die Laufzeit des Arbeitslosengeldes geändert. Der Ratgeber informiert über diese Änderungen. Stand: Juni 2004. Hrsg.: DGB-Bundesvorstand, Abt. Arbeitsmarkt- und Internationale Sozialpolitik

Die meisten aufgeführten Materialien können über das Internet heruntergeladen werden unter: www.dgb.de / presse / hintergrund. Einzelexemplare können Sie kostenlos erhalten. Bitte senden Sie einen an sich selbst adressierten, mit 0,77 € (Büchersendung) frankierten DIN-A4-Rückumschlag in dem jeweiligen Format an die zuständige Abteilung des DGB-Bundesvorstand, Postfach 11 03 72, 10833 Berlin.

Der Info-Brief »Frau geht vor« kann abonniert werden beim DGB-Bundesvorstand, Abt. Gleichstellungs- und Frauenpolitik, Henriette-Herz-Platz 2, 10178 Berlin. Er kostet 13,– € bei sechs Ausgaben im Jahr.

Kostenpflichtiges Material :

- »**50plus – was nun?« Wege in den Job, Ein Ratgeber für Arbeitnehmer/innen ab 50,** Autoren: Rolf Winkel, Hans Nakielski und Burkhard Rexin, Stand: Juni 2004; 48 Seiten, Hrsg.: Deutscher Gewerkschaftsbund Projekt Profil 04, Einzelexemplar 2,– € (zzgl. Versandkosten). Bestellungen (bitte schriftlich) an: Toennes Druck + Medien GmbH, Niemannsweg 3–5, 40699 Erkrath, Fax (02 11) 9 29 08

Stichwortverzeichnis

Hinweis: Die Zahlenangaben beziehen sich auf Tipps und nicht auf die Seitenzahlen.

111 geldwerte Tipps

DGB-Bundesvorstand (Hrsg.)

111 Tipps für Arbeitslose

Bearbeitet von Rolf Winkel und Hans Nakielski
10., aktualisierte Auflage
2004. 271 Seiten, kartoniert

Die Leistungen für Arbeitslose werden weiter abgebaut. Wer von Arbeitslosigkeit bedroht oder betroffen ist, braucht jetzt mehr denn je Orientierung. Die Neuauflage der bewährten »111 Tipps für Arbeitslose« gibt fundierte Auskunft. Konkrete Beispiele verdeutlichen alle Leistungen der Agenturen für Arbeit: Arbeitslosengeld, Arbeitslosenhilfe, berufliche Weiterbildung, Mobilitätshilfen, Existenzgründungshilfen, Zuschüsse für Bewerbungskosten, Renten-, Kranken- und Pflegeversicherung für Erwerbslose und vieles mehr.

Der Ratgeber zeigt, wie Arbeitslose Fallstricke vermeiden und wie sie sämtliche Leistungen – auch die weniger bekannten – erhalten, die ihnen zustehen. Er hilft auch bei wichtigen Entscheidungen. Denn vor allem ältere Erwerbslose und arbeitslose Mütter und Väter müssen häufig zwischen Leistungen der Arbeitsagenturen und anderen Sozialleistungen (Rente, Erziehungsgeld etc.) wählen. Checklisten, Tipps zum Ausfüllen von Formularen und Musterbriefe erleichtern den Umgang mit den Behörden.